LLÊN GWERIN BLAENAU GWENT

Llyfrau Llafar Gwlad

Llên Gwerin
Blaenau Gwent

Frank Olding

Argraffiad cyntaf: 2010

ⓗ Frank Olding/Gwasg Carreg Gwalch

Rhif rhyngwladol: 978-1-84527-293-7

Mae'r cyhoeddwr yn cydnabod cefnogaeth ariannol
Cyngor Llyfrau Cymru

Llun clawr: Cwm Sirhywi (Hawlfraint y Goron: Visit Wales)
Cynllun clawr: Sion Ilar

Cyhoeddwyd gan Wasg Carreg Gwalch,
12 Iard yr Orsaf, Llanrwst, Conwy, LL26 0EH.
Ffôn: 01492 642031 Ffacs: 01492 641502
e-bost: llyfrau@carreg-gwalch.com
lle ar y we: www.carreg-gwalch.com

Argraffwyd a chyhoeddwyd yng Nghymru.

Cynnwys

'os daw y Llyfr hwn i ddwylo anghredinwyr anedifar, fe fydd yr hanesion am ddrychiolaethau a gynhwysir ynddo yn gyff gwawd ganddynt, y rhai, oherwydd rhyw fath arbennig o falchder, a gymerant arnynt ddilorni hanesion am ddrychiolaethau. Ond, onid ydyw'n gred afresymol a wrthddywaid dystiolaeth a phrofiad miliynau o ddynion yn y byd?'

Y Parchedig Edmund Jones, 1779.

Rhagymadrodd

Mae Bwrdeistref Sirol Blaenau Gwent yn cynnwys plwyfi hanesyddol Aberystruth, Bedwellte a Llanhyledd a ffurfiai gongl ogledd-orllewinol yr hen Sir Fynwy a rhannau o hen blwyfi Llangatwg, Llangynidr a Llanelli a berthynai gynt i Sir Frycheiniog. Mae'r ardal wedi bod yn hynod ffodus o ran ei haneswyr a'i hynafiaethwyr ac erys cyfoeth o straeon a thraddodiadau lleol ar glawr. Rhyw ddetholiad yn unig sydd yn y llyfryn hwn.

Yr amlycaf ymhlith y rheini fu'n hel deunydd yn gynnar oedd y Parchedig Edmund Jones (1702-1793) a aned yn Nant-y-glo ond a fu'n byw am y rhan fwyaf o'i oes yn y Tranch ger Pont-y-pŵl. Gweinidog hybarch iawn gyda'r Annibynwyr oedd Edmund Jones, ond roedd hefyd yn astrolegydd o fri a dyna sy'n cyfrif am ei lysenw ymhlith y trigolion lleol, sef 'yr Hen Broffwyd'. Cyhoeddodd amryw byd o lyfrau a phamffledi crefyddol yn y Gymraeg ond hefyd ddau lyfr pwysig iawn yn hanes llên gwerin Cymru, sef *A Geographical, Historical, and Religious Account of the Parish of Aberystruth* ym 1779 ac *A Relation of Apparitions of Spirits in the Principality of Wales* ym 1780. Mae'r ddau yn rhoi tystiolaeth werthfawr iawn ynghylch ffordd o fyw a chredoau'r bobl leol cyn dyfodiad y Chwyldro Diwydiannol a newidiodd yr ardal am byth. Ysgrifennwyd y ddau lyfr hyn yn yr iaith fain, meddai, er mwyn addysgu'r Saeson am rinweddau a rhyfeddodau Cymru! Fi biau'r bai, felly, am gyfieithu darnau gweddol helaeth o'i waith i'w cynnwys yma. Ac eithrio hynny, mae pob dyfyniad arall yn yr iaith wreiddiol.

Cymro pybyr oedd Edmund Jones ac mae ei barch a'i gariad at ei gymdogion a'i gyfeillion yn amlwg:

> 'Parthed anianawd y Bobl yn gyffredinol. Maent yn gyfeillgar, yn hynaws ac yn llawn trugaredd ac ymhell o greulondeb ond yn llawen ac yn rhy siaradus pan fydd llawer ohonynt wedi cwrdd ynghyd; fel bod arnynt ddiffyg difrifoldeb a sadrwydd. Yn siriol yn eu tlodi . . . Nid yw'n anodd eu darbwyllo i fyw'n rhinweddol trwy foddion teg, ac eto'n rhy hawdd eu darbwyllo ar y llaw arall

i ddrwgweithred. Ymddangosant, fel y Cymry'n gyffredinol, fod a chanddynt fath o Rinwedd gynhenid.'

Mae'r darlun yr un mor wir am bobl Blaenau Gwent hyd heddiw! Gobeithio'n wir y bydd y llyfryn yma o fudd i'n cyd-Gymry ac yn fodd iddynt ddod i'n hadnabod yn well pan fyddwn 'wedi cwrdd ynghyd'!

Frank Olding
Mai 2010

Penllwyn Uchaf yn Nant-y-glo – man geni Edmund Jones
(Cyngor Blaenau Gwent)

Ysbrydion a Drychiolaethau

Heb os nac oni bai, yr ardal fwyaf brith o ysbrydion ym Mlaenau Gwent yw dyffryn Ebwy Fawr o Gendl yn y gogledd (sef *Beaufort* yn Saesneg) i lawr at Aberbîg yn y de. Yn ystod mis Chwefror 1924, poenydiwyd y teulu Meyrick, oedd yn byw ar gyrion Cendl tua Llangynidr, gan poltergeist – clywid seiniau cnocio ac ochneidio rhyfedd, a gwelid dodrefn yn symud o le i le o'i gwirfodd ei hun! Daeth y digwyddiadau annaearol hyn i ben mor ddisymwth ag y dechreuasant.

Ym 1936, gyrrwyd teulu o'r enw Jones o'u bwthyn ger Waun Lwyd, Glyn Ebwy, gan 'ryw bresenoldeb tywyll, trymaidd' a oedd unwaith wedi ceisio rhwygo'r blancedi oddi ar eu gwelyau. Yn fwy diweddar, ym 1985, canfuwyd seiniau a goleuadau rhyfedd yn hen ffatri Berlei yng Nglyn Ebwy – cafodd yr addurniadau Nadolig eu tynnu i'r lawr hyd yn oed! Bedyddiwyd yr ysbryd yn 'Charlie' gan weithwyr y ffatri, a chredid ei fod yn un o drueiniaid y wyrcws (a safai ar yr un safle gynt) a oedd wedi'i grogi ei hun.

Mae llawer o bobl wedi honni iddynt weld ysbryd mam ifanc a'i baban yn cerdded hyd ras y felin tuag at Eglwys Ioan yn Nhrenewydd, Glyn Ebwy. Yn ôl y chwedloniaeth leol, ar ôl i'w chariad cefnu arni, ceisiodd yn ofer fynd â'i phlentyn ato ddiwrnod ei briodas â rhyw ferch fwy addas i'w statws cymdeithasol, er trio newid ei feddwl. Cafodd y fam a'i baban eu darganfod y bore trannoeth wedi boddi yn nant y felin. Aeth ei chariad anffyddlon yn forwr ac fe foddwyd yntau mewn llongddrylliad gan adael ei wraig newydd a'i phlentyn hithau mor druenus o ddiloches â'r ferch yr oedd wedi cefnu arni gyntaf.

Gan Edmund Jones y cofnodwyd dau hanesyn am ffermydd cyfagos, sef Tor y Grug ar Fynydd Carn y Cefn a Throedrhiwclawdd ar ochr arall y cwm. Yn Nhor y Grug, roedd ci du enfawr yn hawntio ysgubor lle'r oedd rhyw ffermwr wedi'i ladd ei hun. Efallai mai'r un helgi rhithiol oedd hwn â hwnnw a halodd gymaint fraw ar Thomas Miles Parry yn gyfagos yn fuan wedyn. Hawntiwyd Troedrhiwclawdd gan ysbryd rhyw druan arall o ffermwr a fu farw ynghanol gaeaf erchyll o arw. Bu'n rhaid i'w wraig hallti ei gorff a'i gadw mewn cist nes i'r eira ddadmer digon fel y gellid ei gladdu. Daeth ymweliadau'r ysbryd hwn i ben ym 1863 pan ailadeiladwyd y ffermdy. Sonia stori arall o'r 18fed ganrif am Walter John Harry a brynodd ffermdy Ty'n y Fid, Waun Lwyd. Fe'i hawntiwyd yn rheolaidd gan ysbryd cyn-berchennog y fferm, gwehydd o'r enw Morgan Lewis, hyd nes iddo flino ar gwmni ei westai nosweithiol a dweud pader wrtho 'Rhoddaf siars arnat, Morgan Lewis, yn enw Duw, na phoeni fy nhŷ ragor'. A nis gwelwyd eto fyth wedyn!

Mae'r ffordd rhwng y Cwm ac Aberbîg yn gartref i lu o ysbrydion, os coelir y lliaws hanesion sydd ar glawr ac ar lafar. Yn y ddeunawfed ganrif bu rhyw Thomas Andrew mor anffodus a chwrdd â'r Cŵn Wybr, sef Cŵn Annwn gweddill Cymru. Ychwanega croniclydd ei hanes:

'Clywais fod rhywrai wedi clywed y Bytheiaid Ysbrydol hyn yn pasio bargodion sawl annedd-dy cyn marwolaeth un o'r teulu.'

Ers y 1950au, mae sawl person wedi gweld ffigur tal yn gwisgo clogyn yn cerdded ar hyd y rhan hon o'r ffordd cyn diflannu mewn amrantiad. Ai ysbryd Cwnstabl Hosea Pope a welwyd ganddynt? Fe'i lladdwyd mewn ffrwgwd yn Aberbîg ym 1911. A ddeil ei rith i rodio'i gynefin lwybrau tybed? Ym 1980 fe ddaeth un o'r ardalwyr wyneb yn wyneb a ffigur mewn het uchel ger yr *Hanbury Hotel.* Syllodd y ddrychiolaeth yn syn arno cyn tynnu ei oriawr. Yn sydyn oll, dyna ysgrechian menyw yn rhwygo allan o'r coed ger Garej Brondeg. Cerddodd y ddrychiolaeth ar hyd yr heol gan droi nawr ac yn y man i edrych tua tharddle'r llefain echrydus. Gan lwyddo i orchfygu'i fraw naturiol, fe ddilynodd y gŵr lleol yn sgil y rhith rhyfeddol hwn nes cyrraedd y Rhiw (yr heol a ddringa'r mynydd tua Brynithel) lle diflannodd y ffigur achlân!

Nid nepell i ffwrdd ar Cefn Man Moel (ar Dachwedd 25, 1975) roedd tri gŵr ar eu ffordd adref o'r gwaith mewn car, pan welsant olau llachar, fflachiog yn hofran uwchben y Rhiw cyn hedfan ar gyflymdra anhygoel tua'r dwyrain. *UFO* y Rhiw?

Ym 1831, fe lenwid papurau Sir Fynwy â newyddion am 'Ysbryd Crymlyn'. Cafodd rhyw ŵr ei hawntio gan ysbryd ei gyfaill oedd wedi marw'n ddiweddar. Un noson o heth a hithau'n bwrw lluchfeydd o eira, fe'i gyrrwyd allan gan yr ysbryd i ganol yr eira nes dyfod (heb adael yr un ôl troed) i faen enfawr. Gan godi'r maen fel petai'n bluen, darganfu'r dyn fatog odani a daflodd, ar orchymyn ei gydymaith annaearol, i ddyfroedd Ebwy Fach gerllaw. Ar hynny, dyma'r ysbryd yn diflannu a'r truan hawntiedig yn mynd o'i gof yn llwyr – ni ddaeth i'w iawn bwyll byth wedyn.

Os caiff dyffryn Ebwy Fawr ymfalchïo yn nifer ac ofnadwyaeth ei ddrychiolaethau brodorol, nid yw Gilwern a Chlydach ar begwn arall yr ardal ym mhlwyf Llanelli ymhell ar ei ôl. Cofnodwyd llawer iawn o lên gwerin y plwyf gan Canon D. Parry-Jones a wasanaethodd fel rheithor yno o 1936 hyd ei ymddeoliad ym 1961. Cyhoeddodd gyfres o erthyglau hynod ddifyr ar hen chwedlau'r plwyf ym 1963 a'r rhain yw'r unig gofnod o lawer ohonynt. Poenid y plwyf gan wahanol fathau o ysbrydion a drychiolaethau tan ddiwedd y bedwaredd ganrif ar bymtheg. Gwelwyd dyn heb ben arno'n carlamu ar geffyl dros Bont y Saleyard. Unwaith, gwelodd Mrs Jones, *Ashtree Cottage* (sef yr hen *Alma Inn*) gi anferth arallfydol yn dod i lawr trwy Gwm

Cwm Clydach (Frank Olding)

Siôn Mathew. Cafodd pobl eraill eu dilyn gan ryw fod arallfydol arall yr holl ffordd o hen orsaf drên Waunafon i lawr trwy Fryn Llanelli ac ar hyd y rhiwiau i safle Gorsaf Clydach. Clywent sŵn traed y tu ôl iddynt ond pan fyddent yn troi, ni welid dim ond clywid y traed anweledig yn dal i nesáu atynt! Er bod amrywiaeth eang o ffurfiau y gallai ysbrydion eu mabwysiadu, yr unig un a oedd y tu hwnt i'w gallu oedd ymddangos yn rhith oen – dim ond un Oen oedd i fod yn y byd.

Pentref Clydach oddeutu 1910
(Amgueddfa Bryn-mawr)

Roedd pobl Clydach yn ofni'n ddirfawr adael eu cartrefi liw nos ac yn arbennig felly petai'n rhaid iddynt basio ambell i sticil (sef camfa) neu adeilad arbennig. Roedd nos Galan Gaeaf ('nos yr ysbrydion') yn arbennig o frawychus a pheryglus fel un o'r tair noson yn ystod y flwyddyn pan fyddai ysbrydion ar led. Prif arbenigedd ysbrydion Clydach oedd codi gatiau'r ardal oddi ar eu colfachau a'u rhoi wedyn ar eu gwastad ar ochrau'r llwybrau a'r lonydd. Un tro, bu rhaid ailosod naw ar hugain ohonynt fore trannoeth y Galan.

Un o'r ysbrydion a oedd yn hala'r ofn mwyaf ar y bobl leol oedd 'yr ysbryd dauwynebog' a oedd mor annaturiol o dal fel y gallai syllu trwy ffenestri'r llofftydd wrth fynd heibio i'r tai. Unwaith, ymgartrefodd ysbryd anferth mewn ysgubor leol a bu'n hawntio'r lle gynddrwg fel y penderfynwyd mai'r unig ffordd o gael ei wared oedd llosgi'r lle'n ulw. Rhywsut, daeth y ffarmwr i wybod am y cynllun – ac ni welwyd y ddrychiolaeth byth wedyn! Mae fferm Tŷ Gwyn (a adeiladwyd yn yr 17eg ganrif) yn gartref i poltergeist hynod bersawrus sy'n arfer taro pobl yn ysgafn ysgafn ar eu hysgwyddau. Hefyd, mae'r heol ger y Tyla ar y ffordd lan y bryn i'r Pwll Du ag ysbryd o'r 17eg ganrif sy'n dwli ar hala braw uffernol ar gŵn!

Ym mynwent Eglwys Llanelli saif beddrod y Cyrnol Sandeman, Dan y Parc – a berthynai i'r teulu a werthai 'Sandeman's Port' ers llawer dydd. Arno gwelir cerflun hyfryd o gi mawr gwyn yn cysgu.

11

Eglwys Llanelli (Frank Olding)

*Bedd y Cyrnol Sandeman
(Frank Olding)*

Dyma'r chwedl – ar ddiwrnod angladd y Cyrnol, dilynodd ei gi ffyddlon yr arch yr holl ffordd o dŷ Dan y Parc i'r bedd a phan drodd y galarwyr a'r cyfeillion am adref, aros yno a wnaeth y ci. Mae'n wir bod gan y Cyrnol hoff gi a bod y ddau bron byth i'w gweld ar wahân. Bob dydd, âi'r ci at y bedd ac fe'i gwelid yno'n aml yn hwyr y nos a chyda'r wawr gan y gweithwyr ar eu ffordd i'r sifft gynnar. Ond, un bore ar ôl noson o heth ac eira, dyma ddod o hyd iddo wedi'i rewi i farwolaeth a phenderfynwyd ei gladdu wrth ochr ei feistr. Yn y 1960au cynnar gan ŵr o Abertyleri y clywodd Canon D. Parry-Jones y stori ac roedd yntau wedi'i chlywed tri deg o flynyddoedd ynghynt. Tyfodd y chwedl felly o fewn ychydig flynyddoedd, oherwydd bu'r Cyrnol farw ym 1932.

Ceir rhywfaint o dystiolaeth o blaid gwirionedd yr hanes mewn atgofion gŵr o Glydach. Yn ystod dirwasgiad y 1930au, bu'n gorfod troi at botsio i gadw'r bleiddiaid rhag y drws. Er mwyn osgoi'r heol ar ei ffordd adref, elai dros y sticil islaw'r eglwys i groesi'r caeau. Ond bob tro'r âi'r ffordd hon, tyfai'i gi ei hun yn aflonydd a llawer tro gwelodd yntau gysgod ci'n symud i ffwrdd i gyfeiriad y beddau. Roedd yn hollol argyhoeddedig mai ci'r Cyrnol oedd hwnnw.

Ac yn olaf, gair o gyngor i'r sawl sydd â'i fryd ar gerdded y bryniau uwchben Abertyleri a'r Blaenau – gochelwch 'Hen Wrach y Bryniau'! Yn ôl y traddodiad lleol, ysbryd Siwan Wen, un o wrachod y fro, oedd hi. Rhoddwyd disgrifiad manwl ohoni gan Edmund Jones ym 1780 yn ei lyfr *A Relation of Apparitions of Spirits in the Principality of Wales:*

Hen Wrach y Bryniau
(Cyngor Blaenau Gwent)

'Yr oedd y Ddrychiolaeth ar rith hen fenyw dlawd, gyda het hirsgwar, bedair gonglog, dillad lliw lludw a'i ffedog wedi'i thaflu ar draws ei hysgwydd, gyda phot neu Lestr o bren yn ei llaw, fel y bydd y tlodion yn ei gario i nôl llaeth. Âi o flaen pobl, weithiau'n gweiddi "Wow up". Pwy bynnag a welai'r Ddrychiolaeth hon, ai liw nos ai ar ddiwrnod niwlog, yr oeddynt yn sicr o golli'u ffordd; oherwydd ymddangosai'r heol yn hollol wahanol i'r hyn ydoedd mewn gwirionedd; ac mor ddwfn weithiau'r hud, fel y meddylient eu bod yn agoshau at ddiwedd eu taith pan yr aent mewn gwirionedd i'r cyfeiriad anghywir hollol.'

Roedd gan Edmund Jones brofiad personol o weithgareddau'r ysbryd:

'Collais innau'r ffordd ryw ddwy neu dair o weithiau, yn ystod y dydd, ar y Mynydd hwn, er fy mod yn ei adnabod yn dda iawn ac er nad yw rhagor na milltir a hanner o'i hyd a hanner milltir ei led . . . Rywbryd arall, gan fynd dros y Mynydd ar gefn ceffyl, ar ddiwrnod niwlog a chan feddwl efallai ei bod yn agos ataf (gan ei bod yn hynod brysur ar y Mynydd yn gwylio pawb a basiai drosodd), dywedais mewn ffydd, "Gwna dy waethaf, yr Hen Gythreules, ni chollaf finnau fy ffordd" ac ni wneuthum bryd hynny.'

Dawns Bendith eu Mamau (ar ôl Harvey, 2003)

Bendith eu Mamau

Pan ysgrifennodd y Parchedig Edmund Jones ei ddisgrifiad amhrisiadwy o ffordd o fyw a chredoau trigolion hen blwyf Aberystruth ym 1779, fe gynhwysodd bennod gyfan ar *'Apparitions and Agencies of the Fairies'*. Iddo ef a'i gyfoedion, nid rhyw odrwydd ecsentrig oedd credu yn 'Bendith eu Mamau' a 'caethweision y Fall', roedd eu bodolaeth yn ffaith ddiymwad:

> 'Bu i ddigonedd o bobl eu gweled a chlywed eu miwsig, y dywedodd pawb ei fod yn isel ac yn bersain, er nad oedd neb byth yn medru dysgu'r Diwn.'

Enw pobl Blaenau Gwent ar y Tylwyth Teg oedd 'Bendith eu Mamau' neu 'y Tylwyth Teg yn y Coed'. Nis gwelsid byth ymhell iawn o'r coed, ac ymddengys iddynt fod yn hynod hoff o'r fam-dderwen, a adwaenid yn yr ardal fel 'Y Brenin Bren'. Fe'i hystyrid yn ffôl tu hwnt niweidio mam-dderwen, gan fod dial y Tylwyth Teg yn siŵr o ddilyn. Petai dyn yn ddigon anffodus neu'n ddigon haerllug i'w cythruddo, fe delid y pwyth iddo'n dost iawn gan eu bod 'yn ddidrugaredd yn eu digofaint, gan anafu llaweroedd . . . '

Credid y gallent glywed unrhyw beth a ddywedid yn yr awyr agored, 'waeth pa mor dawel y sôn'. Roedd pobl hefyd yn gallu'u clywed hwythau'n siarad a chlebran 'fel llawer yn siarad yr un pryd, ond y geiriau'n anaml i'w clywed'. I'r rhai prin a fedrai ddeall eu sgwrs, ymddangosai 'eu bod yn anghytuno lawer iawn ynghylch digwyddiadau'r dyfodol, ac ynghylch pa beth y dylent ei wneud'. O'r herwydd, roedd hen air ymhlith y plwyfolion am gymdogion cwerylgar 'Ni chydunant hwy mwy na Bendith eu Mamau'. Roedd ganddynt sawl ffordd o ymddangos i feibion dynion, ond:

> 'eu dull fwyaf arferol o ymddangos oedd yn rhith cwmnïoedd o ddawnswyr gyda Miwsig, ac yn rhith Angladdau. Pan ymddangosent fel cwmnïoedd o ddawnswyr, yr oeddynt yn awyddus i ddenu pobl i'w Cwmni, a rhai a dynnwyd felly i'w plith ac a arhosent gyda hwy am sbel o amser; fel arfer am

flwyddyn gron fel y gwnaeth Edmund William Rees, dyn a adwaenwn yn dda ac a oedd yn gymydog, yr hwn a ddaeth yn ei ôl ar ddiwedd y flwyddyn, a golwg wael ofnadwy arno.'

Yn ôl yr Hen Broffwyd, yr oeddynt yn hoffi 'lleoedd sychion, llawn goleuni' a'u hoff leoedd o fewn y plwyf oedd Hafodafael a Chefn Bach ger Aberbîg. Ac nid dim ond adrodd straeon a glywodd gan bobl eraill roedd Edmund Jones ond hefyd yn tystio i'r hyn a welsai ei hun:

'Os bydd rhywrai'n meddwl fy mod yn rhy hygoelus yn yr adroddiadau hyn, ac yn siarad am bethau nad oes gennyf fi fy hun unrhyw brofiad ohonynt, mae'n rhaid imi roi gwybod iddynt eu bod yn camgymryd yn arw: Oherwydd pan oeddwn yn Fachgen ifanc iawn . . . wrth ben uchaf Cae'r Cefn, ar ochr

Abertyleri a Chefn Bach (Frank Olding)

16

yr heol yr aem ar hyd iddi, gwelais debygrwydd ffald defaid gyda drws at y De; ac uwchben y drws, yn lle lintel, debygrwydd cangen grimp o goeden, Coeden Collen credaf, ac o fewn y ffald cwmni o lawer o bobl. Rhai'n eistedd a rhai'n mynd i mewn, ac yn dod i maes gan blygu'u pennau wrth basio o dan y gangen. Ymddangosai imi eu bod newydd fod yn dawnsio, ac yr oedd Cerddor yn eu plith. Ymhlith y lleill, gyferbyn â'r drws, cofiaf yn dda ddrychiolaeth menyw deg ei phryd a wisgai Het uchel ei chorun a Siaced Goch, ac arni well ddiwyg na'r lleill, ac yr ymddangosent i'w pharchu'n anrhydeddus. Mae gennyf syniad gweddol glir o hyd o'i Hwyneb wen a'i gwedd luniaidd: Gwisgai'r dynion Grafatiau gwynion . . . '

Ai brenhines y Tylwyth Teg a welodd Edmund Jones, yn blentyn ar Fynydd Carn y Cefn?

'Ond yn aml iawn ymddangosent ar rith Angladd cyn marwolaeth llawer person, gydag Elor a Llen Ddu, yng nghanol Cwmni o'u cwmpas . . . gwyddent yn ddi-ffael o flaen llaw amser marwolaeth Dyn . . . Mae'n rhaid felly eu bod yn cael y wybodaeth hon o sefyllfa'r Sêr adeg Genedigaeth dyn, a'u dylanwad, yr hyn a ddeallant y tu hwnt i allu Dynion meidrol. Y mae gennym brawf cyson o hyn yn y Canhwyllau Corff y mae eu hymddangosiad yn arwydd ddi-ffael mai Angau a ganlyn, ac ni fethant fyth a dilyn y ffordd y bydd y Corff yn mynd i'w gladdedigaeth . . . Ers talwm iawn gwelai amryw o bobl debygrwydd Penglogau dynol yn cario'r Canhwyllau Corff, a all fod yn rhyw gadarnhad o'r beth rhyfeddol hwn.'

Unwaith, wrth ganfod gorymdaith o'r fath yn Aberbîg, fe fu i Isaac William Thomas, Hafodafael:

'estyn ei law a thynnu ymaith y llen ddu a oedd dros yr Elor, ac fe'i dug adref gydag ef. Yr oedd wedi'i gwneud o ryw Ddefnydd eithriadol o fain, fel nad oedd o'i phlygu ond o sylwedd bychan

Eglwys Aberystruth cyn y Chwyldro Diwydiannol
(Frank Olding)

iawn, ac yn ysgafn iawn. Adroddodd hyn wrth amryw o bobl. Adwaenwn y gŵr fy hunan, ac yn nyddiau fy ieuenctid cynheliais sgwrs gydag ef sawl tro.'

Bu digwyddiad tebyg ger eglwys y plwyf yn y Blaenau:

'Mr Howell Prosser, curad Aberystruth, wrth weled Cynhebrwng yn dirwyn hyd lôn yr Eglwys, fin hwyr, tua'r Eglwys . . . a wisgodd ei Fand amdano er mwyn mynd i berfformio oedfa'r gladdedigaeth; a rhuthrodd i gwrdd â'r Angladd; a phan ddaeth ato . . . wrth ddodi ei law ar yr Elor i helpu i ddwyn y Corff, mewn amrantiad y cyfan a ddiflannodd; ac er mawr syndod a syfrdandod iddo, nid oedd dim oll yn ei law ond Penglog March Marw.'

Eraill a'u gwelai'n hedfan trwy'r awyr fin nos:

'Edmund Daniel, Yr Arael, Dyn gonest a siaradwr cyson y Gwirionedd ac o gryn graffter, a ddywedodd wrthyf ei fod yn eu gweld hwy'n aml ar ôl machlud yr haul, yn croesi Cefn Bach, o Ddyffryn yr Eglwys tua Hafodafael; a hynny o flaen unrhyw ffraeo yn y plwyf. Pasient heibio, yn neidio a dawnsio yn yr Awyr, gan dorri llwybr trwy'r Awyr, yn debyg iawn i hyn:'

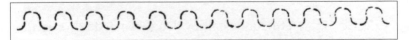

Hynt y Bendith trwy'r awyr (ar ôl Jones 1779)

Adeg tywydd mawr, ceisiai'r Tylwyth loches ym mythynnod y trigolion lleol:

'Ond deuent yn aml i dai dynion . . . yn arbennig yn ystod tywydd mawr tymhestlog . . . a'r werin Bobl, drueiniaid anwybodus, rhag eu hofn, a'u croesawai trwy ddarparu dŵr glân yn y Tŷ; gan ofalu na fyddai'r un gyllell wrth y Tân, nac offer heyrn eraill, y rhain a wyddent oedd yn gas ganddynt ar ôl yn y gornel ger y Tân ac am fethu â chymryd y fath ofal fe anafwyd llaweroedd ganddynt . . . yr oedd rhai yn ofni mynd i'w Gerddi liw nos;'

Roedd rhai o'r trigolion at eu ceseiliau ynddynt:

'Yr oedd dau frawd yn byw mewn Tŷ yng Nghwm Celyn, ac un noson gorweddai'r naill yn yr ystafell isod a'r llall lan llofft. Yn ystod y nos, cododd syched mawr ar y brawd a oedd yn gorwedd lan llofft, ac fe ododd i ddisgyn am lwnc o ddŵr. Pam glywodd ei frawd ef yn dyfod i'r lawr y grisiau, meddai wrtho "Cymer ofal, oherwydd mae'r Tŷ yn llawn ohonyn' hwy;" Gan ei fod yn ŵr o gryn ddewrder, atebodd y llall "Nid wyf yn hidio pwy sydd yna, caf i lwnc o ddŵr", a'i frawd, o'r ystafell, a welodd y Tylwyth yn ymagor i'w adael trwodd – i fyned ac i ddychwelyd.'

Roedd pobl eraill yn ymuno â nhw liw nos:

'yn arbennig y Personau hynny a gymerent arnynt wella'r clwyfau a geid gan Fendith eu Mamau, fel Charles Hugh Coed y Paen ym mhlwyf Llangybi. A Rhisiart Cap Du o Aberystruth . . . a adwaenid felly am y gwisgai gap du . . . '

Dychryn mwyaf yr hen drigolion oedd i'w babanod gael eu cyfnewid gan y Tylwyth 'gan adael yn eu lle y rhai oeddynt yn eiddil, heb iddynt na golwg dda na synnwyr'. Fe godwyd baban yng ngofal Dazzy, gwraig Abel Walter, Ebwy Fawr, allan o'r gwely a'i ddodi ar y

Jenett Francis yn ymladd am ei mab
(Cyngor Blaenau Gwent)

byrddau uwchben! Ymladdodd Jenett Francis, o'r un dyffryn, yn gorfforol â rhyw nerth anweledig a geisiodd rwygo'i mab o'i mynwes, ond, yn ei geiriau'i hun: 'Bu Duw a minnau'n rhy galed iddo.'

Mae'n ddigon eglur mai ymgais i esbonio genedigaeth plant ag arnynt ryw nam meddyliol neu gorfforol yw'r traddodiadau hyn am gyfnewidiaid. Y tristaf o holl straeon Edmund Jones yw honno a edrydd am blentyn a ddygwyd gan y Tylwyth Teg yn y Blaenau:

'Ond yn athrist iawn, fe lwyddodd ysbrydion drygionus y tragwyddoldeb mawr i gyfnewid Mab i Edmund John William, er mawr drallod i'w rieni, gan adael Ynfytyn yn ei le. Bu fyw yn hwy nag arfer plant o'r fath, nes cyrraedd, fe dybiaf, ei ddeg neu ddeuddeg oed, fe'i gwelais fy hunan. Yr oedd rhywbeth dieflig yn ei olwg, ond yn hytrach yn ei lais a'i symudiadau; oherwydd yr oedd ei symudiadau yn orffwyll a byddai'n ysgrechian yn annymunol iawn ac fe fu hyn yn achos braw i rai estroniaid a basiai heibio, ond ni chofiaf imi glywed am unrhyw niwed arall a wnaethai. Yr oedd yn dywyll a brown ei wedd. Ni chlywais erioed am yr un cyfnewidyn arall ym Mhlwyf Aberystruth.'

Roedd yn arfer gan y Tylwyth Teg gario dynion trwy'r awyr am filltiroedd lawer. Cafodd Henry Edmund, Hafodafael ei ddwyn o Lanhiledd i dafarn yn Llanymddyfri, ac yn ei ôl, yn ystod un noson. Cafodd brawd Edmund Jones anturiaeth debyg ym 1733, a dyma'r stori yn ei chrynswth rhyfedd:

'Mr Edmund Miles, Ty yn y Lwyn, yn Ebwy Fawr, a rhai dynion ifainc gydag ef, a aeth i Langatwg Cruchywel, Sir

Frycheiniog, i hela, gan fod Mr Miles, yn ogystal â dwy neu dair Ystâd yng Nglyn Ebwy Fawr, yn berchennog Ystâd yn yr ardaloedd hynny. Ymhlith eraill aeth un o'm brodyr gydag ef, gan mai Mr Miles oedd Perchennog Tir fy nhad. Wedi hela y rhan fwyaf o'r dydd, ac wedi eistedd i lawr i orffwys, a phan oeddynt ar benderfynu dychwelyd adref, dyna Ysgyfarnog yn neidio i'r lan yn agos atynt. Y Bytheiaid a ruthrodd ar ei hôl, a hwythau a ruthrasant ar ôl y Bytheiaid. Wedi i'r Ysgyfarnog roi cwrs hir iddynt, y Bytheiaid a'i dilynasant hyd ffenestr seler Rhisiart y Teiliwr, a gadwai Dafarn ym mhentref Llangatwg; a rhoi cyfarth i'r Ysgyfarnog ger ffenestr y Seler: yr oedd y Pentref hwnnw ar y pryd yn enwog am wrachod ar hyd a lled y wlad amgylchynol, a chredid fod y Gŵr hwn gyda'r lleill yn un ohonynt, ac yn un a gadwai gwmni'r Tylwyth Teg. Esgorodd hyn ar ddrwgdybiaeth ymhlith y cwmni mai ef ei hun oedd yr Ysgyfarnog a chwaraeodd gast arnynt; i'w wneud yn rhy hwyr iddynt ddychwelyd adref, fel y byddent yn gwario Arian yn ei Dŷ'r noson honno. Gan ei bod erbyn hynny yn rhy hwyr i ddychwelyd adref, a chan eu bod yn flinedig, yno y bu iddynt aros. Ond yr oeddynt yn rhydd iawn eu drwgdybion a'u barn arno. Nid oedd Mr Miles, gŵr bonheddig, sobr, doeth, ond yn gynnil ei eiriau, heb ei ddrwgdybiaethau, fel y lleill, ond fe ddug berswâd arnynt i siarad llai. A phan fu ar fy Mrawd, rywbryd yn ystod y nos, eisiau mynd maes i wneud dŵr, Mr Miles, ac eraill gydag ef, a'i hargymhellodd rhag mynd allan, ond i'w wneud yn y Tŷ, ond gan iddo wrthod gwneud hynny, efe a fentrodd i maes; ond ni ddychwelodd; ac wedi aros ysbaid fe ddechreuodd y Cwmni anghysuro a thyfu'n ystormus iawn, a sarhaus eu geiriau wrth Feistr y Tŷ, gan fygwth llosgi'r Tŷ oni ddychwelai fy Mrawd; ac mor drafferthus a fuont nes peri i'r Gŵr a'i Wraig adael yr Ystafell, a mynd i'w gwely. Yr oedd y Cwmni yn dal i aros, a disgwyl ei ddychwelyd ac ni chysgasant ond rhyw ychydig iawn. Drannoeth, nid yn fore iawn, fe ddaeth atynt. Yr oeddynt yn falch tu hwnt ei weled, er iddo ymddangos fel un a oedd wedi'i lusgo trwy Ddrain a Mieri, a'i wallt yn anghymen a golwg wael arno, yr hwn oedd yn ŵr cadarn, iach ei wedd. Yr oeddynt yn chwilfrydig iawn i wybod i ble'r aethai a pha beth a ddigwyddasai iddo. Meddai wrthynt iddo drafaelio gydol y nos hyd lwybrau geirwon, anghyfarwydd, heb wybod ym mha le yr oedd, nes, yn fore y dydd hwnnw, ei weled ei hun ger Twyn Gwnlliw *(Stow Hill)* ger y fynedfa i Dref Casnewydd, ac yno cynorthwyodd Ŵr o'r Rhisga i godi llwyth o Lo a gwympasai oddi ar ei Geffyl. Yn syth wedyn fe aeth yn anymwybodol a chafodd ei ddwyn yn ôl i'r man lle cafodd ei gipio. Ymhen ychydig oriau felly mae'n rhaid ei fod wedi cael ei gario gan yr ysbrydion uffernol hyn trwy'r Awyr am fwy nag ugain o Filltiroedd, canys cyhyd â hynny yw'r ffordd o Gasnewydd i bentref Llangatwg . . . Ar ôl hyn fe ddaeth yn sobr ac yn edifeiriol.'

Erbyn y 1770au, roedd Anghydffurfiaeth wedi cael cryn effaith ar hwyl Bendith eu Mamau (a phawb arall debyg!):

'ond mae Drychiolaethau'r Tylwyth Teg ac ysbrydion eraill Uffern . . . wedi cilio'n fawr iawn yng Nghymru, ers i oleuni'r Efengyl a chrefydd ennill goruchafiaeth;'

Ar wahanol adegau, bu Bendith eu Mamau ar waith mewn rhannau eraill o'r Fwrdeistref. Yr oedd Rees John Rosser, Yr Hendy, ger Llanhyledd, wrthi'n porthi'r ychen ryw fore pan benderfynodd orwedd yn y gwair a chael chwiff. Yn sydyn iawn clywodd gerddoriaeth yn dynesu ato a gwelodd dorf fawr o bobl mewn dillad stribedog yn dod i mewn i'r ysgubor. Dechreuodd y Tylwyth Teg (canys dyna pwy oeddynt) ddawnsio, ac edrychodd Rees arnynt mor ddistaw ag y medrai nes i fenyw well ei diwyg na'r lleill ddod â chlustog a phedair tasel iddi i orffwys ei ben arno. Yn sydyn, dyna geiliog ffermdy Blaen y Cwm (ar draws y mynydd uwch Hafod yr Ynys) yn dechrau canu a'r Bendith yn ffoi – a mynd â'u clustog gyda nhw!

Yr oedd Bwca'r Trwyn yn goblyn a gysylltid gan amlaf a ffermdy'r Trwyn ger Abercarn. Gweithiai dros y ffermwr, nes cael cam gan un o'r morynion a gwrthod llafurio rhagor a throi'n faleisus a niweidiol. Dywedir iddo blagio Tŷ Trist yn Nhredegar gynddrwg fel nad oedd neb yn fodlon byw yn y lle. Adwaenid yr ardal o gwmpas Pont y Fall yng Nghlydach fel Cwm Pwca gynt, ac yn ystod y 18fed ganrif defnyddiai'r bobl leol ddŵr o'r Ffynnon Gistfaen gerllaw yn swyn yn ei erbyn. Mae'n bosibl iddo ymweld â Nant-y-glo, oherwydd ryw hanner milltir o *Winchestown* (a enwir felly am fod *winches* yn cael eu defnyddio i godi glo o'r glofeydd yno) fe welir Tŷ Pwca.

Perthyn dogn helaeth o straeon am y Tylwyth Teg i Lanelli a Gilwern hefyd. Amser maith yn ôl roedd gŵr o'r enw Annelly yn dod adref liw nos o Flaenafon i Lanelli pan gwrddodd â dyn bychan, od ger Gilwern a ofynnodd iddo gario'i fwndel. Gwnaeth Annelly hynny, gan gynnig llety iddo am y nos i'r fargen. Yn wobr, fe aeth y dyn bychan (a oedd yn un o'r Tylwyth Teg mewn gwirionedd) ag Annelly i un o'r llu o ogofau yn yr ardal a dangos iddo siambr gudd yn llawn o aur. Dywedwyd wrth Annelly y câi ddod i'r ogof unwaith yr wythnos a mynd â chymaint o aur a allai ei ddal yn ei geg. Ond, ryw ddiwrnod, gorchfygwyd Annelly gan wanc ac fe stwffiodd aur i'w bocedi. Gwylltiodd y dyn bychan a bu bron â thaflu Annelly dros glogwyn ac i lawr i Afon Clydach. Fe gollodd ei arian i gyd hefyd.

Yn y cae islaw Bedd y Gŵr Hir ger ar Dwyn Wenallt a thu ôl i res o dri o dai o'r enw *Blackcat's Row*, darganfu Canon D. Parry-Jones un o gylchoedd y tylwyth teg – yr unig un y gwyddai amdano ym mhlwyf Llanelli. Roedd llecyn gwastad yn y cae lle'r oedd pobl leol yn arfer gwylio'r Bendith yn dawnsio ar 'nos ola leuad' uwchben niwloedd Dyffryn Wysg. Ger un o'r rhaeadrau yng Nghwm Clydach, sef Ffynnon yr Enfys, roedd plant yn arfer casglu i edrych ar y Tylwyth yn dawnsio y tu ôl i ddŵr y rhaeadr.

Chwedlau Lleol

Mae storïau am frwydr rhwng y Cymry a'r Normaniaid yn Nhrefil yn hir eu parhad. Maentumia rhai fod yr enwau Trefil Ddu a Threfil Las i'w cysylltu â'r byddinoedd (sef y 'tair mil ddu' a'r 'tair mil las') a ymgasglodd ger ffermydd Purgad a Hirgan. Ger Rhyd y Milwr roedd pobl yn arfer tynnu sylw estroniaid at dyllau yng ngwaelod y nant a mynnu mai olion carnau meirch y fyddin ddu oeddynt. Mae Pwll y Duon gerllaw ac enwau lleoedd o gwmpas Trefil yn ddigon awgrymog – Troed y Milwyr, Maes y Beddau ac fe all fod yr hen straeon yn atgof am wir frwydr a ymladdwyd yn yr ardal. Yn eironig iawn, brwydr ymhlith y Cymry eu hunain oedd honno. Ym 1072, ymosododd Maredudd ab Owain, brenin Deheubarth, ar Forgannwg. Casglodd Caradog ap Gruffudd, brenin Gwent Uwch Coed, fyddin (a oedd yn cynnwys cynghreiriaid Normanaidd) a threchodd Maredudd yn rhywle ar lannau Afon Rhymni. Ym 1850, fe gynhaliodd Dr William Price, Llantrisant, orsedd er parchu safle tybiedig y lladdfa.

Honna rhywrai fod a wnelo'r enw Sirhywi â'r frwydr hon. Pan ofynnodd cadfridog y Cymry pwy oedd yn fodlon ymladd drosto, yr atebion a gafodd gan ei filwyr oedd 'Syr, wy i! Syr, wy i!'

Yn gynnar yn y bedwaredd ganrif ar bymtheg, ffermdy Hirgan oedd canolfan paffio dyrn-noeth yr ardal. Mae traddodiad lleol hefyd yn hawlio Clwyd y Sarn (ger *The Mountain Air*, tafarn a ddechreuodd ei gyrfa yn ysgyfarnog y mynydd!), Y Sarn Hir (ar Fynydd Bedwellte) a'r Ffordd Rufeinig (a arweiniai o Rymni trwy'r Twyn, sef *Dukestown* yn Saesneg) fel heolydd y llengoedd, er mai ychydig iawn o dystiolaeth archaeolegol a ddaeth i'r amlwg hyd yn hyn.

I'r gogledd o Borth y *Mountain Air*, saif brigiad hynod o graig a elwid tan y 1930au yn Fedd Wil Wyth Tiwn gan yr ardalwyr. Ffidlwr oedd Wil, ys dywedid, na fedrai ganu ond wyth tiwn yn unig ac yn y pen draw, fe gyflawnodd hunanladdiad. Ai oherwydd ei rwystredigaeth artistig?

Yn ystod 1838, bu ciwed o ladron didrugaredd – 'Lladron Maes yr Onn' – yn hala ofn a braw ar drigolion Tredegar a'r cylch. Yn ôl hanesydd cynnar Tredegar, Evan Powell, roedd y dihirod yn *'plundering everything within their reach, committing burglaries, highway robberies, and all kinds of desperate deeds'*. Un noson, ymosodasant ar ffer Maes yr Onn yn rhan isaf y cwm gan gredu bod y ffarmwr â swm sylweddol o arian dan gêl yn y tŷ. Ysbeiliwyd y tŷ yn rhacs ac yna aethant ymlaen i ffer Gruglwyn yn gyfagos. Yn anffodus i'r lladron, roedd perchennog y tŷ a thri saer maen cydnerth gartref ar y pryd. Bu ymladd ffyrnig cyn i'r lladron cael eu gyrru o'r lle a ffoi nerth eu traed. Gadawodd un o'r giang ei het ar ei ôl. Roedd yr het wedi'i dwyn oddi wrth fab Williams Wyllt (y meddyg ym Merthyr ar y pryd) ac arweiniodd hynny at ddal y drwgweithredwr. Aeth hwnnw'n dyst yn erbyn ei gyn-gyfeillion a chafodd y giwed gyfan ei dal ar fyr o dro. Daethpwyd o hyd i'w holl ysbail yn y *Waterwheel Pit*.

Ym Mwlch y Llwyn ar Fynydd Milfraen uwchben Nant-y-glo, saif maen hir o'r enw Carreg Gywir. Yn ôl Edmund Jones, fe'i codwyd 'i ddangos y ffordd o'r Fenni i Ddyffryn yr Eglwys [sef y Blaenau] adeg niwl' ac:

> 'Wrth ei droed mae yna Faen bychan gyda thebygrwydd ôl troed Oen ifanc wedi'i argraffu'n ddwfn iddo . . . Ni saif y Maen mawr, sydd yn drwchus ac yn uchel, yn unionsyth, ond yn gwyro i'r De-orllewin tuag at Ddyffryn yr Eglwys.'

O'r un ffynhonnell daw'r hanes am sut y cafodd Eglwys y Blaenau ei hadeiladu. Ni allai'r plwyfolion benderfynu ym mha le y dylid codi'u llan, gan fod rhai yn ffafrio llecyn o'r enw Lle'r Eglwys ar Fynydd Carn y Cefn, ac eraill am ei rhoi ger Tŷ Llawn Bwn March ar Rhiw'r Lladron uwchben Abertyleri –

> 'Lle yr oedd, chwedl rhywrai, ôl carn y march i'w weled gynt, yr hwn a ddaethai a bwn o arian er mwyn codi Eglwys yn y lle hwnnw.'

O'r diwedd dyna'r plwyfolion yn penderfynu adeiladu'r llan yn y Blaenau, lle saif ei olynydd heddiw. Edrydd fersiwn arall o'r stori sut yr arweiniwyd y plwyfolion i safle 'cywir' yr eglwys gan olau yn hofran yn yr awyr – a hynny ar ôl i'r march ddychwelyd i'w feistr (sef yr Hen Was ei hun) mewn pelen o dân!

Mae gan Edmund Jones stori ddifyr iawn am un o hen guradau'r plwyf. Yr hen arfer ymhlith y Cymry cyn y Diwygiad Protestannaidd oedd galw offeiriaid yn 'Syr' a dyma hanes 'Syr Philip' a'i fwch gafr:

'Cyn y Diwygiad, yr oedd un Syr Philip – a gweddill ei enw heb ei gofio – yn Gurad ar y Plwyf. A chan ei fod yn byw ar ei ben ei hun, am na châi'r Clerigwyr Pabyddol briodi, mewn tŷ o'r enw Tŷ Llwyd, nid nepell o'r Eglwys. A Syr Philip wedi cael, fel y tybir, fyn gafr Degwm a chan fod unigrwydd yn ymddangos yn hir a syrffedus, ac nid yn ddymunol trwy'r amser i unrhyw greadur, ac yn llai byth felly i Ddynol Ryw, difyrrodd ei hun gyda'r myn a'i fagu hyd oni thyfodd yn Fwch Gafr; ac fe ganiatâi iddo orwedd ar Redyn neu Wellt yn yr un Siambr ag ef ei hun; yn rhannol, efallai, i leddfu ei ofn yn y nos, rhag yr hwn nid yw y rhai dysgedig a phwysig wastad yn rhydd . . . Nid oedd yr Anifail yn anniolchgar i'w Geidwad, fel y bydd dynion i'w Creawdwr a'u Ceidwad hwythau . . . ond yr oedd ganddo hoffter mawr tuag ato, a'i brif ddyleit oedd ei ddilyn i bob man, hyd yn oed i'r Eglwys ar y Sul. Ond am na châi fynd i mewn i gorff yr Eglwys, arhosai yn y Cyntedd yn cnoi ei Gil nes y byddai'i Feistr wedi gorffen ac yna y byddai'n ei ddilyn i mewn i'r Tŷ Cwrw cyfagos

Ond un tro, gan fod Syr Philip yn absennol ar ryw achlysur, yr oedd rhai o'r cwmni mor ddrygionus ag i orfodi'r Bwch Gafr i yfed Cwrw nes ei fod yn feddw, ac wrth fynd adref fe gwympodd dros y Bont bren a oedd rhyngddo a thŷ Syr Philip ac i'r Afon a bu mewn perygl o foddi; neu o gael ei gleisio ar y Cerrig. Ond ni fyddai byth wedyn yn mynd i mewn i'r Tŷ Cwrw, fel cynt, ond byddai'n gorwedd ar ochr arall y Lôn a basiai'r Tŷ o fewn golwg y drws, i gael gweld pryd y deuai'i Feistr i maes fel y gallai ei ddilyn adref. Dyma ddangos gwers ddirwestol i'r holl blwyf, ac i'r Curad ei hun, yn erbyn meddwdod, gan un o filod y Ddaear, hyd ddiwedd amser.'

Ar Frynithel, ger Llanhyledd, trigai cawr o'r enw Ithel. Wedi penderfynu codi tŷ iddo'i hun, aeth ati i gasglu meini at y dasg ar Gefn Crib uwchben Hafod yr Ynys. Wrth eu cludo'n ôl yn ei ffedog fe dorrodd y llinyn ac fe'u collodd – a dyna

Eglwys Illtud Sant – Llanheledd gynt
(Cyngor Blaenau Gwent)

sut y codwyd y mwnt yn y cae ar bwys eglwys Illtyd Sant yn Llanhyledd!

Heb os, Eglwys Illtyd Sant yw'r adeilad hynaf ym Mlaenau Gwent. Er bod yr eglwys wedi'i chysegru i Sant Illtyd yn awr, ei chysegriad gwreiddiol oedd i Santes Heledd neu Hyledd, fel y nodir yn rhestri plwyf y 16eg a'r 17 ganrif. Rhoddodd hyn yr enw lle Llanheledd neu Llanhyledd gyda Llanhilleth yn ffurf Seisnigedig ohono. Hon oedd yr unig eglwys yng Nghymru oll a gysegrwyd i Heledd.

Yn archeolegol, mae'r ffaith bod mynwent yr eglwys yn un gron yn dystiolaeth glir ei bod wedi'i sefydlu cyn dyfodiad y Normaniaid i Gymru. Yn wir, mae'r cyfeiriad ysgrifenedig cynharaf at yr eglwys i'w gael yn Llyfr Du Caerfyrddin mewn cerdd sy'n dyddio'n ôl i'r 9fed neu'r 10fed ganrif. Mae hon yn llawysgrif fechan a ysgrifennwyd tua 1250. Mae'r llawysgrif yn waith un dyn, mynach ym Mhriordy Sant Ioan yng Nghaerfyrddin, ac mae'n cynnwys casgliad o farddoniaeth sy'n hŷn o lawer na'r llawysgrif ei hunan.

Ymysg y casgliad, mae Englynion y Beddau sy'n rhestru lleoliadau beddau arwyr hanesyddol a chwedlonol y Cymry. Cymherir rhwysg a bwrlwm bywyd yr arwr yn aml â thawelwch ac unigrwydd ei fedd. Gellir adnabod llawer o'r safleoedd y cyfeirir atynt fel carneddau neu gromlechi hynafol. Yn eu plith mae:

Gwydi gurum a choch a chein.
A. goruytaur maur minrein.
in llan helet bet. owein.

Sef, o'i diweddaru:

Wedi'r du a'r coch a'r cain
A'r ceffylau mawr, mirain,
Yn Llan Heledd – bedd Owain.

Ymddengys mai'r 'bedd' y cyfeirir ato yw'r mwnt mawr gyferbyn â'r eglwys. Ystyrir hwn fel arfer fel mwnt Normanaidd, yn dyddio mae'n debyg i'r 11eg neu 12fed ganrif ond mae'n fwy na phosibl iddo gael ei adeiladu dros dwmpath cynharach – sef carnedd neu feddrod cynhanesol.

Mae'n debyg mai Owain ab Urien yw'r Owain y cyfeirir ato – tywysog go iawn a dyfodd yn arwr o fri mewn chwedlau a rhamantau canoloesol. Yn hanesyddol, roedd yn fab i Urien, brenin Rheged yn y 6ed ganrif. Roedd Rheged yn deyrnas Gymreig yn cynnwys y *Solway Firth*, Caerliwelydd a'r holl ardal a adwaenir heddiw fel *Cumbria*. Ymladdodd Owain ac Urien yn ffyrnig yn erbyn y goresgynwyr Eingl-Sacsonaidd a chofnodwyd eu campau mewn cerddi gan Taliesin, bardd eu llys. Ar ôl ei farwolaeth, daeth Owain yn arwr chwedlonol, symudodd y straeon amdano i Gymru a daeth yn gysylltiedig â'r chwedlau Arthuraidd. Owain yw arwr chwedl

Bedd Owain
(Frank Olding)

'Iarlles y Ffynnon' yn y Mabinogion. Mae'n ddirgelwch llwyr pam fod cerdd mor gynnar yn cysylltu Owain â Llanhyledd.

I ddychwelyd at yr eglwys ei hun, cawn ddirgelwch arall ynghylch ei nawddsant. Roedd Heledd hefyd yn berson go iawn a fu'n byw yng ngogledd Powys ddechrau'r 7fed ganrif. Roedd Cynddylan ei brawd yn frenin Powys nes iddo gael ei ladd gan yr Eingl-Sacsoniaid. Ymhlith cerddi gogoneddus Canu Llywarch Hen (sydd eto'n dyddio i'r 9fed neu'r 10fed ganrif), ymddengys Canu Heledd, cyfres o englynion a ffurfiodd uchafbwyntiau barddonol saga rhyddiaith a gollwyd. Ynddynt, mae Heledd yn galarnadu dinistr ei chartref a marwolaeth Cynddylan a'i brodyr eraill. Ymddengys ei bod rywsut yn ei beio'i hunan am y trychineb a ddaeth i'w rhan.

> Sefwch allan, vorynnyon, a syllwch
> Gyndylan werydre.
> Llys Benngwern neut tande.
> Gwae ieueinc a eidun brotre.

> Sefwch allan, forwynion, a syllwch
> Ar wlad Gynddylan.
> Llys Pengwern – mae'n wenfflam.
> Gwae'r ieuainc sy'n hiraethu am eu brodyr.

Unwaith eto, ni wyddys pam y dylai'r eglwys fechan hon ar ochr mynydd moel yng Ngwent fod wedi'i chysegru i dywysoges o Bowys a fu'n byw yn y 7fed ganrif.

Addurnid allor yr eglwys erstalwm â llo aur, ond fe'i dygwyd gan bâr o ladron. Aeth y plwyfolion ar eu holau, a'u dal o'r diwedd yn y coed islaw fferm Pen y Fan Uchaf ar ochr arall y cwm. Cyffesodd y ddau taw nhw a ddug y llo aur a'i gladdu o dan ddraenen wen. Dadwreiddiodd yr ardalwyr pob draenen wen – yn gwbl ddi-fudd – a dyna paham na thyf yr un ddraenen wen yn y coed hyd heddiw!

Mae gan Gilwern hefyd gyfoeth o chwedlau lleol, a'r enwocaf yw'r rheini a gysylltir â Bedd y Dyn Hir a Charreg Bica. Saif Bedd y Dyn Hir ar Dwyn Wenallt ar ymyl yr heol o Gilwern i'r Pwll Du, a gellir gweld y ddwy garreg sy'n nodi pen a gwaelod y bedd yn y cae hyd heddiw. Yn ôl Edmund Jones, cafodd y cawr ei eni yn Hafodafael ger Aberbîg yn y cyfnod cyn codi'r eglwys yn y Blaenau. Dyma'r hanesyn a gofnodwyd ganddo ym 1779:

'Wedi clywed sawl gwaith am Fedd aruthrol o hir a elwir Bedd y Gŵr Hir ac wedi'i weld o'r diwedd ar ymyl y Ffordd sy'n disgyn o'r Mynydd i Ddyffryn Wysg . . . ger lle o'r enw Yr Allwys; a chan ymholi am y person a gladdwyd yno, cefais yr hanes hwn gan lawer un; Sef bod rhywrai'n mynd ag ef o Flaenau Gwent i'w gladdu ger Eglwys Llanwenarth, lle'r cleddid pobl Blaenau Gwent cyn i'r Eglwys yn Aberystruth gael ei chodi . . . a chan ei bod yn mynd yn hwyr; a'r tywydd yn dymhestlog iawn, a chan fod ganddynt eto oddeutu dwy Filltir ragor i fynd, a chwch i groesi Afon Wysg cyn cyrraedd yr Eglwys; fe'u digalonnwyd rhag mynd ymhellach; a phwysau mawr y Corff hefyd, efallai, yn ychwanegu at eu digalondid; fe gladdasant ef yno . . . gyda dau Faen mawr un wrth bob pen y Bedd, a'r lle rhyngddynt yn rhagorol o fawr, am hyd Bedd . . . Nawr, a thybio bod pellter y Meini oddi wrth y Corff yn rhyw droedfedd ar bob pen; sef y mwyaf gallwn yn rhesymol ei dybio. Rhaid bod hyd y Corff eto oddeutu un droedfedd ar ddeg. Mae'n rhaid ei fod yn berson o faintioli anarferol, ac yn sicr yn Gawr, ac mor dal â Goliath o Gath; ac wrth ymddangos yn arfwisg Goliath, byddai wedi gwneud ffigwr fel ag y gwnâi Goliath, a frawychodd Israel oll.'

Mae ffynonellau eraill yn adrodd bod gan y cawr chwech o fysedd ar bob llaw. Sut bynnag, mae'r stori â thras barchus iawn gan fod 'Bedd y Gŵr Hir' wedi'i grybwyll mewn dogfen o oes Elisabeth fel un o arwyddion ffiniau hen blwyf Llanelli. Yn fwy diweddar, mae rhai pobl wedi gweld ysbryd y cawr yn ymyl ei fedd ac yn y bedwaredd ganrif ar bymtheg roedd pobl Clydach yn cael eu plagio gan ddrychiolaeth a oedd yn ddigon tal i edrych trwy ffenestri llofftydd eu tai! Ar bwys Bedd y Dyn Hir ymddangosodd y cawr ei hun ym 1903 i ddwy chwaer oedd ar ymweliad â'i hen gartref o'r Amerig.

Edrydd fersiwn arall o'r stori mai ysbryd gŵr un o'r menywod ydoedd. Gwrthodasai ymfudo gyda hi i'r byd newydd, a phan aeth hithau yn ei blaen hebddo, fe fu iddo lesgáu o hiraeth a marw cyn ei oed o'r herwydd.

Carreg Bica gyda Dyffryn Wysg yn y cefndir
(Frank Olding)

Pan aeth Canon D. Parry-Jones unwaith i Abertyleri i roi sgwrs ar ofergoelion, dywedyd wrtho fod y Gŵr Hir wedi byw ar ochr orllewinol y cwm yn Nant-y-glo. Roedd pobl Abertyleri hefyd wedi clywed bod criw o feddygon o Gaerdydd wedi dod i ddatgloddio'i gorff er mwyn gweld a oedd yr hyn a glywsent amdano'n wir ai peidio. Darganfuant fod ei gorff nid yn unig yr hyn a ddywedid ond ei fod hefyd wedi tyfu dwy droedfedd ers ei farwolaeth!

Ar ochr ogleddol Cwm Clydach, gwelir nodwydd denau o garreg ar Darren Disgwylfa ar y gorwel – dyma Garreg Bica, yn Saesneg 'the Peaky Stone' neu 'the Lonely Shepherd'. Hwn yw tirnod mwyaf adnabyddus plwyf Llanelli ac yn weladwy o bob rhan o'r plwyf ac o rannau helaeth o Sir Fynwy a Sir Frycheiniog yn ogystal. Er nad yw ond yn biler o galchfaen a adawyd ar ôl o waith y chwarel gerllaw, eto i gyd mae'r chwedlau sy'n gysylltiedig ag ef yn debyg iawn i'r rhai sydd fel arfer ynghlwm wrth feini hirion mwy hynafol o lawer. Saif yn uchel ar Darren Disgwylfa ryw filltir uwchben eglwys Llanelli. Wrth edrych o bellter mae'n debyg rhyfeddol i hen fugail crwca gyda sach ar ei gefn yn dringo i ben yr allt. Ychydig lathenni y tu ôl iddo mae'i gi'n ei ddilyn – sef darn arall, llai o galchfaen. Dywedir bod y garreg yn dynodi ffiniau plwyfi Llanelli a Llangatwg ac mae'n wir bod meini hirion yn aml wedi'u defn-yddio fel nodwedd-ion hwylus i bennu ffiniau. Nawr, ni all y piler fod yn llawer hŷn na 1829. Tybed iddi gael ei gadael yno i gymryd lle maen hŷn a safai yno gynt?

Carreg Bica ar y gorwel
(Frank Olding)

Unwaith, wrth gwrs, dyn oedd y maen – ffarmwr a drigai yn Nhŷ Isaf ryw filltir oddi tano. Roedd yn briod gwael iawn ac yn greulon wrth ei wraig. Mor ddiflas ac annioddefol oedd ei bywyd fel y penderfynodd rhoi terfyn arno. Aeth o'r diwedd i lawr at Afon Wysg a'i boddi'i hun mewn un o'r pyllau dyfnion. Yn gosb arno am ei greulondeb, trodd Duw'r bugail yn biler o faen, a dyna le saif hyd heddiw! Yn llawn edifeirwch, mae'r bugail yn awr yn gadael ei ddisgwylfa draw bob Noswyl Ifan ac yn ymlwybro hyd y lôn heibio i Eglwys Llanelli ar hyd yr union ffordd yr aethai'i wraig o'i flaen. I lawr ag ef i'r union bwll lle boddodd yn galw ei henw'n dorcalonnus ac yn erfyn arni i ddychwelyd ato. Mae hi, wrth gwrs, wastad yn gwrthod ond cyn iddo droi i ddringo'r rhiw i'w briod le drachefn, mae'n nofio sawl gwaith o gwmpas y pwll. Hyd at y 1920au, roedd yn arfer gan bentrefwyr Gilwern wyngalchu'r maen unwaith y flwyddyn fel y caent ei weld yn dod ar Noswyl Ifan! Mae traddodiad arall yn mynnu'i alw'n 'Fugail y Dyffryn' ac yn maentumio ei fod yn cerdded trwy'r dyffryn ar Noswyl Ifan yn cyfri'i ddefaid.

Yn y 1960au, cafodd D. Parry-Jones hanesyn arall i esbonio presenoldeb y maen. Roedd y chwarel (neu'r 'cwar' yn y Wenhwyseg) lle saif y maen yn cael ei weithio i gyflenwi calchfaen ar gyfer Gwaith Haearn Nant-y-glo rhwng 1816 a 1829. Dywedodd hen ddyn wrth D. Parry-Jones fod pedwar o ddynion wedi cael eu lladd yn y cwar a bod y golofn hon o galchfaen wedi cael ei gadael yno yn gofeb iddynt. Credai eraill bod aur wedi'i gladdu o dan y maen ac ni ellid chwilio amdano ond ar Noswyl Ifan pan oedd y bugail er ei daith benyd. Ond ni feiddiai neb chwilio amdano rhag ofn y byddai'r maen yn eu gwasgu i farwolaeth petai'n digwydd dod yn ôl a hwythau wrthi o hyd!

Ym 1897, cofnodwyd hen draddodiad bod Oliver Cromwell wedi ymweld â phlwyf Llanelli. Safai hen ffermdy wrth droed Mynydd Gilwern a oedd erbyn y 1890au wedi hen fynd a'i ben iddo. Ac yn y fan honno, yn ôl y chwedl leol y cafodd pennaeth y Piwritaniaid a'i filwyr eu croesawu â bara brown a llaeth. Roedd jwg fechan wedi'i phatsio â darnau tun yn cael ei dangos i estroniaid fel yr union un yr yfodd y dyn mawr ei laeth ohoni. Fe'i cedwid mewn lle anrhydeddus mewn bwthyn di-nod yng Nghlydach hyd at ddechrau'r ugeinfed ganrif.

Pont y Fall oddeutu 1910
(Amgueddfa Bryn-mawr)

Ryw hanner ffordd i lawr Cwm Clydach, saif tafarn y *Drum and Monkey* ac o ddilyn y llwybr troed heibio i'r dafarn ac o dan yr A465, deuir i risiau serth sydd yn arwain i lawr at bont fechan uwchben rhaeadr a throbwll arswydus. Dyma Bont y Fall a Phwll y Cŵn. Gwelir wyneb y Diafol ei hun wedi'i naddu gan yr afon yn ochr y graig ar ymyl y pistyll. Yn ôl traddodiad lleol, roedd menyw leol wedi cael ei llofruddio gan ei gŵr, a thaflwyd ei chorff dros y bont ac i lawr i'r pwll dwfn. Pan ddaeth pobl o hyd iddi, roedd rhan o'i chorff wedi cael ei fwyta gan gŵn. Mae fersiwn arall yn mynnu bod cnud o fytheiaid wedi cael ei arwain gan gadno cyfrwys dros y dibyn ac i lawr i'w marwolaeth yn y trobwll.

Mae'r bont i'w chael yn y rhan o Gwm Clydach a adwaenir fel Cwm Pwca – y traddodiad lleol yw bod Shakespeare wedi ymweld â'r lle ac wedi cael ei ysbrydoli gan y chwedlau lleol i gynnwys Puck yn ei ddrama 'A Midsummer Night's Dream'. Roedd y stori hon ar led yn ôl ym 1785 pan luniodd y Parchedig Henry Payne ei ddisgrifiad o'r ardal (gweler isod). Ar un adeg, roedd y Parchedig Thomas Price, Carnhuanawc, yn gurad ar y plwyf ac yn argyhoeddedig fod y stori'n

Pont y Fall heddiw – gwelir wyneb y diafol yn y garreg ar y chwith!
(Frank Olding)

wir. Yn ail hanner y 19eg ganrif, byddai'r ardalwyr yn dal i ddangos i estroniaid y tai lle'r oedd Shakespeare wedi aros yn ystod ei ymweliad, sef Tŷ Clydach neu Tŷ Aberclydach.

Wrth ymdrin â'r chwedl hon, mae Canon D. Parry-Jones yn dyfynnu traddodiad arall bod Shakespeare wedi dysgu am y Pwca oddi wrth ei gyfaill Cymreig, Richard Price, mab Syr John Price, Priordy Aberhonddu. Hyd yn oed ymhlith llenorion ac ysgolheigion Oes Fictoria, roedd y gred yn gryf fod 'Bardd Afon Avon' wedi aros yn Aberhonddu ac wedi ymweld â Chwm Clydach. Beth bynnag fo'r gwirionedd, deil pobl i ddangos *Shakespeare's Cave* ar ochr y ceunant peryglus yn y gilfach greigiog i'r dwyrain o Fedw Ddu Isaf.

Yn ogystal â straeon y byddwn ni heddiw yn ystyried yn 'chwedlau' mae gan Edmund Jones sawl hanesyn difyr iawn am fywyd a hanes go iawn plwyf Aberystruth. Er enghraifft, daeth amryw byd o bregethwyr Piwritanaidd adnabyddus i bregethu yn y llan, gan gynnwys Walter Cradock, Morgan Llwyd, Vavasor Powell ac eraill:

'Ond yr oedd eraill yn gwrthwynebu ac ni oddefent i'r dynion teilwng hyn bregethu yn Eglwys y Plwyf; unwaith yn unig, credaf, y caniatawyd i'r Pregethwr enwog, cadarn Mr Vavasor Powell, bregethu ynddi; ac nid ofer ei lafur. Eto, safai llawer o'r Trigolion, os nad y mwyafrif, o blaid anwybodaeth a chabledd . . . oherwydd pan feddyliodd Mr Ambrose Moston, gŵr Bonheddig o Ogledd-Cymru . . . bregethu ynddi, gwrthodwyd iddo fynediad iddi; ac felly safodd ar Gamfa'r Fynwent ar yr ochr Ogleddol iddi, agorodd y Beibl a chymryd yn destun Ioan V 25 . . . Ar hynny, dechreuodd rhai ohonynt, ac un Teulu yn fwy na'r lleill, fod yn anghwrtais eithriadol gan ddweud wrtho "Gwyddem hynny cyn dy weld di" a thynnu Draenogod meirwon a hongiai yn y coed Yw a'u taflu ato gyda chwerthin a sbort erchyll . . . mae gwahanol geinciau o'r Teulu hwnnw, a oedd bryd hynny'n Deulu llewyrchus, bellach yn amlwg yn mynd i lawr yn y Byd.'

Mae'r stori am dröedigaeth gŵr o'r enw John James Watkin yn dangos yr elyniaeth a'r casineb a enynnwyd gan y Rhyfel Cartref hyd yn oed yn y gornel anghysbell hon o Gymru:

'Yr oedd yn enedigol o Aberystruth ac ymunodd â'r Fyddin Frenhinol yn erbyn y Senedd, ac yr oedd yn ffyrnig ac yn eithafol ar yr ochr honno. Wrth drin cleddyf, ni allai neb ei wrthsefyll. Anafodd fy Nhad-cu'n beryglus gan dynnu ei gledd ar hyd ei Asennau mewn ysgarmes a ddigwyddodd ar bwys Eglwys Aberystruth, a pherthynas i'm Tad-cu, wedi clywed am hyn, a aeth i chwilio amdano gydag Erfyn peryglus, sef bilwg hir i ddial arno; ond da oedd iddynt ill dau na chafwyd hyd iddo; oherwydd nid oedd i ladd nac i gael ei ladd, ond i gael ei droi at Dduw a chael ei achub. Oherwydd, wedi clywed bod pregethwr yn dyfod i lawr o Sir Frycheiniog i bregethu yng Nghelli'r Crug, aeth i fyny ar hyd Lôn yr Eglwys, tua Rhasau'r Glo, â'i gledd gyda'r bwriad o'i ladd ef. Y pregethwr oedd Mr Jenkins Jones, Llanddeti . . . Pan gwrddodd â'r milwr, tynnodd ei Het i lawr rhagddo, ac ar hynny meddai'r milwr wrtho'i hun: "Mae'n Ddyn glân yr olwg, gresyn ei ladd ef, nis lladdaf yn awr, af i'w glywed" ac felly a drodd yn ei ôl ac a'i dilynodd gan gadw pellter rhyngddynt a dewis peidio â dod yn agos ato, gyda'i Gledd ar ei glun, rhag ennyn drwgdybiaeth yn y gŵr Bonheddig. Aeth ar ei ôl i Gelli'r Crug ac fe'i trowyd dan y Bregeth a Gras Duw a'i gwnaeth yn filwr i Iesu Grist, yr hyn oedd yn anhraethol well na bod yn Filwr i'r Brenin Siarl . . .'

Gwrachod a Dewiniaid

Roedd y gred ym modolaeth a phwerau gwrachod a dewiniaid yn gyffredin a hir ei pharhad. Mor hwyr â'r 1870au yng Nglyn Ebwy credid gan laweroedd fod Mari Can Punt, gwerthwraig gwair o Gendl, yn wrach. Felly hefyd hen fenyw o Landafal ger Cwm, y dywedid ei bod yn gallu cymysgu diodydd hud yn ei chrochan haearn a'i galluogai i ymrithio fel cath neu gwningen.

Mae'r achos o swyngyfaredd a gofnodwyd yn fwyaf trylwyr yn yr ardal yn ymwneud â dewin yn hytrach na gwrach – sef Rhisiart Cap Du a drigai yn Nhroed Rhyw Coelbren (yn rhywle ar yr hen heol rhwng Abertyleri a'r Blaenau). Ym 1779, fe ysgrifennodd Edmund Jones amdano:

> 'Yr oedd yn byw wrth droed Rhiw Coelbren ac yr oedd twll mawr trwy ystlys To Gwellt ei Dŷ, y credai'r werin bobl yr âi allan drwyddo liw nos i rodio gyda Bendith eu Mamau, ac i ddychwelyd oddi wrthynt; ond efe ei hun a fyddai'n esgus ei fod yno fel y gallai edrych ar y Sêr liw nos. Mae'r Tŷ wedi'i ddymchwel ers hydoedd . . . eto i gyd, dywedir iddo fod yn Ddyn clên, hynaws; gresyn felly ei fod mewn cynghrair ag Uffern, ac yn was i Deyrnas y Fall.'

Dywaid hefyd:

> 'Ond unwaith pan alwyd arno i ddod at un person a oedd wedi cwympo i blith Bendith eu Mamau ar Ddamwain ac a anafwyd ganddynt yn chwerw dost ac yn cadw at ei wely o'r herwydd . . . pan ddaeth i fyny i Siambr y Claf, cododd y Claf garreg bwys, a oedd wrth yr Erchwyn, a'i thaflu at y Rheibiwr Uffernol a'i holl nerth gan ebychu 'Y ti, yr hen gnaf, oedd un o'r gwaethaf ohonyn' nhw i 'nafu fi . . . '

Trigai hen wrach o'r enw Mari'r Gwrhyd yn ffermdy Gwrhyd Fach yng Nghwmtyleri. Ryw ddiwrnod galwodd heibio i Hendre Gwyndir yn uwch i fyny'r cwm (saif heddiw ar lannau Cronfa Ddŵr

Cwmtyleri), a gofyn am dorth o fara, a'r trigolion, rhag ei hofn, yn rhoi un iddi. Gartref, daeth yr hen Fari o hyd i geirch yn ogystal â blawd gwenith yn ei bara, a chan ystyried hynny'n sarhad, fe gynddeiriogodd yn arw. Mae'n amlwg iddi dyngu melltith ar fuchod Hendre Gwyndir, achos er corddi'n wastad ddydd a nos am dri diwrnod, ni ellid gwneud menyn o'u llaeth. Ceisiodd y morwynion wneud cacennau o'r hufen, ond ni chlymai'r toes, a pan roddwyd hi i'r moch fe gwympasant yn dost.

Trigai hen ddynes arall o'r enw Hen Ann mewn hofel yng Nghwm Celyn, a'r gred gyffredin oedd iddi gael ei meddiannu gan y Diafol. Petai'r amaethwyr lleol mor ffôl â nacáu dim iddi, ni chorddai'u llaeth nhw y chwaith! Roedd cymydog iddi, sef Robert ap Watkin, yn perchen ar un ar ddeg o fulod, a phan fu iddo wrthod rhoi un ohonynt ar fenthyg iddi i gasglu tanwydd at y gaeaf, dyna hi'n eu rheibio nhw a diflanasant. Roedd Robert ap Watkin yn gorfod mynd at Ann yn edifar-ostyngedig i ymddiheuro. 'Ewch i'r Ffynhonnau Oerion yng Nghwmtyleri,' meddai wrtho. A dyna'n union ble cafwyd hyd iddynt.

Rhyw hanner ffordd i fyny'r llwybr trwy'r goedwig rhwng Aberbîg a Hafodafael fe saif ysgubor Penrhiwllech. Nos Galan Gaeaf roedd carfan o wrachod a dewiniaid yn arfer cwrdd ganol nos i farchogaeth y ceffylau a gedwid yno. Cedwid yr ardalwyr oll yn effro ac yn ofnus yn eu gwelyau gan oernadu brawychus yr anifeiliaid. Ym 1794, agorodd rhyw Molly Davies ysgol ger Gwaith Haearn Clydach. Yn ogystal â bod yn ysgolfeistres, fe'i hystyrid hefyd yn wrach. Credid y medrai hedfan ar ysgubell, troi moch i sefyll ar eu pennau a throi llaeth yn ferddwr.

Roedd Gilwern a'r cylch yn enwog gynt am ei dynion hysbys neu'i rheibwyr – dynion a ddefnyddiai swyn a chyfaredd i wella pobl ac anifeiliaid fel ei gilydd. Yr enwocaf a'r uchaf ei fri ganol y bedwaredd ganrif ar bymtheg oedd Solomon Chilton, Rhonos Uchaf, a wisgai het uchel wrth farchogaeth ei ferlen gwta. Am chwart o gwrw byddai Solomon yn gwella clefyd y troed (*footrot*) trwy godi tywarchen ag ôl yr anifail clwyfus ynddi, murmur swynion drosti, a'i dodi'n uchel mewn draenen wen. Fel y pydrai'r dywarchen a diflannu, felly hefyd y clefyd. Roedd y swyn hwn yn cael ei ddefnyddio hyd at ddyddiau'r Ail Ryfel Byd.

Un dydd, galwyd Solomon i fferm y Tyle i wella merlen oedd wedi cael anaf go hyll i'w hysgwydd. Yn syth ar ôl cyrraedd, aeth y dyn hysbys gyda'r perchennog i ystafell ar wahân a darllen darn o'r Beibl. Wedi ysbaid hir, dyna Solomon a'r ffarmwr yn dod o'r ystafell ac yn mynd i maes i weld y ferlen. Rhoddodd Solomon ei law ar ei hysgwydd gan sicrhau'r ffarmwr y byddai popeth yn iawn. Yr haf canlynol, fel arfer, anfonwyd y ferlen i ben y mynydd lle esgorodd ar ebol. Pan ddaeth yn ei hôl yn yr hydref, roedd ei hysgwydd wedi gwella'n llwyr!

Tro arall, roedd buwch wedi'i tharo'n dost ar fferm y Fedw, Llangatwg, a chychwynnodd y ffarmwr ar union am y Rhonos Uchaf. Ar y ffordd, cwrddodd â Mr Chilton gan ddweud mor falch oedd o'i weld a'i fod ar ei ffordd i'w weld beth bynnag. 'Ie', meddai Solomon, 'rwy'n gwybod hynny ac roeddwn i ar fy ffordd i'ch lle chi 'nawr.' A dyma enghraifft o ragwybodaeth yr hen ddyn hysbys! Pan ymwelai pobl â'r Rhonos, byddai Solomon yn awyddus i gwrdd â nhw yn yr hen Alma Inn ar waelod ei gaeau – câi ei dalu, ond odid, mewn cwrw!

Roedd y gwahanol ddynion hysbys ag arbenigeddau amrywiol. Roedd rhai, fel Solomon Chilton, yn arbenigo mewn gwella anifeiliaid. Roedd eraill yn fwy adnabyddus am drin clefydau bodau dynol. Yn y 1960au, cofnododd D. Parry-Jones stori am 'y diweddar Mr Price, Twyn Allws'. Yn fachgen ifanc aeth Mr Price i lawr i Gilwern i gael gwared â'r ddannoedd gan ŵr hysbys. Rhoddodd y dyn ddarn o bapur wedi'i blygu ym mhoced siaced y llanc gan ei siarsio nad oedd ar unrhyw gyfrif i'w agor nac i edrych arno nes cyrraedd adref ac wrth gyrraedd ei fod i'w roi'n syth yn y tân. Ond dechreuodd y swyn weithio ar y ffordd adref ac erbyn cyrraedd, roedd ei boen wedi diflannu'n llwyr.

Nid oedd Canon D. Parry-Jones yn ystyried y dynion hyn yn ddihirod oedd yn manteisio ar hygoeledd ei gymdogion. Yn ei farn ef, roedd Solomon Chilton a'r lleill yn credu'n ddiffuant eu bod wedi cael doniau arbennig a'i bod yn ddyletswydd arnynt fod o fudd a lles i'w cymuned. Er iddynt dderbyn ambell i beint o gwrw neu gosyn, nid oedd rhai plwyf Llanelli, beth bynnag, yn codi tâl am eu

Bedd Solomon Chilton ger Eglwys Llanelli
(Frank Olding)

gwasanaethau. Roedd rhai ohonynt yn arbenigo ar ail-osod esgyrn neu atal gwaedu ac roeddynt yn awyddus iawn i draddodi eu doniau i'w meibion. Ond, er mawr tristyd iddynt, fel arfer nid oedd y gwŷr ifainc am ymwneud o gwbl â'r hen ffyrdd. Bu farw Solomon Chilton ym 1868, ac mae'i fedd i'w weld hyd heddiw ar bwys gât ogleddol mynwent eglwys plwyf Llanelli.

Hyd at flynyddoedd cynnar yr ugeinfed ganrif roedd babanod â thorllengig yn cael eu gwella gan ddynion hysbys. Byddent yn hollti onnen ifanc a phasio'r claf deirgwaith rhwng y ddau hanner. Siaradodd Canon D. Parry-Jones â phobl oedd wedi gweld y seremoni eu hunain – dywedodd menyw o Gwmnantgam, fod ei brawd wedi cael ei drin felly yn ddwy oed a'i fod wedi gwella'n llwyr ac yn dal yn fyw ym 1963 yn chwedeg oed. Byddai'r seremoni felly wedi cael ei chynnal tua 1905. Mor hwyr â 1960, clywodd Canon D. Parry-Jones am ŵr ifanc oedd wedi cael ei wella o'r *pneumonia* trwy gael ysgyfaint dafad wedi'u gosod wrth ei draed a chlywodd hefyd am fynd â phlant i'r ogofau enwog yn Llangatwg a'u chwyrlïo o gwmpas gerfydd eu sodlau er gwella'r pâs *(whooping cough)*.

Roedd Canon D. Parry-Jones yn adnabod hen ŵr o'r enw Probert oedd wedi byw a gweithio yn ardal Llanelli ar hyd ei oes fel gwas ffarm. Roedd ganddo lu o hen chwedlau a straeon am hen gredoau ac arferion yr ardal a dyma un. Roedd teulu o'r enw Price yn byw yn Nhŷ Llangenau (sydd mewn gwirionedd yn y plwyf nesaf ond anghofiwn am hynny!) Un bore, roedd y gweision wedi llwytho'r wagen â sacheidiau o ŷd i fynd i'r felin, ond gwrthododd y ceffylau symud cam. Credai'r gweision fod hen fenyw oedd yn byw'n gyfagos wedi'u rheibio. Aethant oll i'w dal hi, gan dorri ceinciau o ddraenen ar eu ffordd. Erbyn ei dal, aethant ati i fwrw'r hen fenyw druan ar ei breichiau a'i dwylo oni welent ei gwaed yn llifo. Pan ddychwelsant i'r ffarm, roedd y ceffylau wedi cychwyn er eu taith.

Roedd y gred mewn tynnu gwaed gwrach i gael rhyddhad o'i swynion yn gyffredin iawn yn yr holl ardal. Yn y Fenni ym 1839, trywanodd hen fenyw o'r enw Sybil Baynum ferch ifanc o'r enw Elizabeth Walker gyda chyllell boced er mwyn tynnu'i gwaed i wrthdroi ei swynion honedig. Yn llys ynadon y Fenni, honnodd Sybil Baynum fod Elizabeth Walker yn wrach fel ei mam o'i blaen a bod honno yn ei dydd wedi rheibio buchod yn yr ardal. Mewn achos arall ym 1827 ymosododd torf o bobl y tu faes i'r *Bull Inn* yng nghanol y dref ar hen fenyw yn ei nawdegau o'r enw Mary Nicholas. Tynnwyd ei dillad i chwilio am ei thrydedd diden – y prawf pendant mai gwrach oedd hi. Pan ddaeth yr achos gerbron y llys, nid y wrach oedd o flaen ei gwell ond y rhai a oedd wedi ymosod arni.

O ystyried yr holl fwrlwm gwrachïaidd hyn, nid yw'n syndod dysgu bod gan y trigolion lleol pob math ar swynbethau i'w gwarchod rhag pwerau gwrachod a'u melltithion. Ystyrid y pren ysgafn a'r griafolen yn effeithlon iawn am droi swynion drwg, ac ar Nos Galan Mai, byddai sbrigynnau o'r ddwy'n cael eu gosod ar ddrws yr ysgubor i atal gwrachod rhag marchogaeth y ceffylau a thorri'u gwynt. Plennid y griafolen o flaen bythynnod, a chariai rhai pobl ddarn ohoni yn eu pocedi liw nos fel swyn yn erbyn y Tylwyth Teg. Yn ôl yn nyddiau Canon D. Parry-Jones, roedd pobl yn tynnu patrymau traddodiadol ar eu stepen ddrws â sialc i gadw gwrachod allan o'r tŷ. Roedd yn rhaid bod yn ofalus iawn na adewid unrhyw fwlch neu doriad yn y patrwm os nad oedd y wrach i gael ffwrdd trwyddo.

Arferion ac Ofergoelion

Dynodid tymhorau'r flwyddyn ac achlysuron arbennig fel priodasau neu angladdau gan arferion ac ofergoelion priodol. Adeg y Nadolig gwelid y plygain a'r Mari Lwyd. Addurnai menywod a merched y plwyf ganhwyllau ac allor y llan â rhubanau a phapur lliwgar, a chenid carolau a luniwyd yn arbennig ar gyfer yr oedfa. Roedd yr arfer yn llewyrchu yn y Blaenau ym 1779, ac fe oroesodd yng Nglyn Ebwy tan 1859 pan gynhaliwyd plygain olaf yr ardal yng Nghapel Penuel, Heol yr Eglwys.

Ar un adeg roedd y Mari Lwyd yn hynod o boblogaidd trwy Went i gyd (fe'i cynhaliwyd yng Ngefeilon ym 1838) – ond yn arbennig felly yn yr ardaloedd gorllewinol a gogleddol hynny lle'r oedd y Gymraeg yn fwyaf gwydn ei pharhad. Ond fel y ciliodd y Gymraeg o'r tir felly hefyd y Mari Lwyd hithau. Erbyn canol y bedwaredd ganrif ar bymtheg fe ddarfu amdani yn Nhredegar bron iawn, er iddi ddal i ffynnu yn y Twyn Drysiog yng Nglyn Ebwy, Cendl a Gilwern tan y 1870au. Fe'i cynhaliwyd am y tro olaf yn yr ardal yn y Rhasau, Glyn Ebwy, yn y 1880au.

Rydym yn ffodus iawn bod William Williams, Myfyr Wyn (1849-1899), wedi gadael inni ddisgrifiad manwl o'r traddodiad lleol. Brodor o Sirhywi oedd Myfyr Wyn a weithiai fel gof yn y gwaith haearn yno. Ysgrifennai golofn reolaidd yn y cylchgrawn *Tarian y Gweithiwr* a lluniodd gyfres o Atgofion am Sirhywi a'r Cylch rhwng 1897 a 1898. Y Mari fel oedd hi yn Sirhywi a Thredegar yn ystod y 1850au neu'r 1860au felly sydd gennym ar glawr – a hynny yn ei Wenhwyseg cryf, cydnerth:

'Ne fel odd yr hen ddynon odd yn arfadd a hi yn i galw, 'Fari Lwyd.' Odd i yn arfadd bod mewn bri mawr yn amsar Nadolig slawar dydd, ond os fawr o son am deni nawr. Otw i ddim moin dangos my hunan yn rhw scolar clyfar, ond fe glywas hen ewyrth i fi yn gwëid am deni (a odd e yn glyfar, os dim dowt gen i), ta orwth enw'r Forwyn Fair, ne Mair Dda, odd yr enw wedi tarddu a bod y beirdds slawar dydd yn iwso y gair 'lwyd' am dda, fel 'Dwn Lwyd,' &c. Ta beth am hyny, odd y Fari Lwyd

odd yn arfadd dod bothti amsar Gwila ddim yn depyg i fenyw,
wath fe gwelas i ddi rai troion. Pishin o bren wedi cal i naddu
run shap a phen ceffyl ne gaseg, os os rhw waniath yndi nhw,
odd y rhai welas i, a hwnnw wedi cal i ddreso mwn rhibana o
bob lliw, a'i geg a wedi cal i neid mwn ffordd gallsa'r bachan
odd yn i witho fa, i shiglo lan a lawr o gordyn fel sa fa'n fyw.
Odd y bachan odd yn perfformio miwn o'r golwg dan sheet
wen fawr yn i gwato fa'i gyd, a bachan arall yn i ledo fa wrth
ffrwyn a rhipan coch ne las, fel ledo ceffyl.

Odd cwmpni yn myn'd a'r 'Feri' rownd trw'r dre ne'r pentra
a chyn basa nhw yn acto odd un part o'r cwmpni yn myn'd
miwn i'r tŷ, a chauad y drws yn erbyn y part arall. Wetin, fasa
y rhai odd mas yn dechra 'pwnc' trw dwll y clo, a'r rhai odd
miwn yn 'pwnco' yn u herbyn nhw. Odd amball un yn lled
ddoniol wrth y gwaith, a os bysa rhwun clyfar tu fiwn, odd a'n
catw y 'Fari' mas nes odd y boys jest a sythu. Rhwpath fel hyn
odd y pwnco, -

Tufas, -
'Agorwch y drysa,
Gadewch i ni warra,
Mae'n ôr yn yr eira
Y Gwila.'

Tufewn, -
'Cer odd na'r hen fwnci,
Ma d'anadl di'n drewi,
A phaid a baldorddi,
Y Gwila.'

Tufas, -
'Ma'r gaseg o'r perta,
Gadewch i ni warra,
Mae 'phen yn llawn cnota,
Y Gwila.'

Tufewn, –
'Yn lle bo chi'n sythu,
Wel, ledwch y 'Feri'
I fiwn i'n difyrru'r
Nos heno.'

Wetin fe fysan yn martsho miwn dan ganu rhw hen lol fel hyn,
-

'Ti dy lodl lidl,
Tym tidl odl idl,
Tym, tym, tym.'

Os bydda merch ifanc yno rhwla, odd y 'Feri' yn starto mwn
wincad, a'i phen yn acor, a'r ferch yn screchan, fel gall
merched screchan, yn uwch na hwtar Dowlash. Ar ôl
perfformio felni am spel, o nhw yn doti cap ne het yn ngheg y
'Feri' i fyn'd rownd yn casglu at yr achos, ac o nhw yn llwyddo
i neid coin piwr cyn cwpla'r 'Gwila.'
  Dyna fi wedi rhoi cownt lled acos i chi shwd odd y 'Feri Lwyd'
yn cario mhlan; ond ma addysg a goleuni wedi'i hala hi maes
o'r wlad erbyn hyn, ac anaml y ma son am deni, a dyw hynny
ddim colled yn y byd am wn i. I ni yn lico cofio am hen bethach
er hynny, a dyna rheswm mod i wedi gweid cymant am yr hen
arferiad hwn . . .'

Ategir yr hyn sydd gan Myfyr Wyn i'w ddweud gan waith y Parchedig
William Roberts, Nefydd (1813-72). Er o Sir Ddinbych yn wreiddiol,
gwasanaethodd Nefydd fel gweinidog y Bedyddwyr yng nghapel
Salem yn y Blaenau o 1845 tan 1872. Ymhlith llawer o bethau eraill,
roedd Nefydd yn ymddiddori'n fawr mewn llên gwerin ac ym 1848,
enillodd prif wobr un o eisteddfodau mawreddog Cymreigyddion y
Fenni am draethawd ar hanes y Mari Lwyd. Cyhoeddwyd y
traethawd yn ei lyfr *Crefydd yr Oesoedd Tywyll neu Henafiaethau*
ym 1852. Cofnododd wybodaeth bwysig iawn am agweddau eraill ar
y traddodiad (ond mewn iaith lawer mwy ffurfiol):

'Prif orsaf 'Mari Lwyd' yw Gwent a Morganwg . . . yn y parth hwn yn unig mae yr enw yn arferedig . . . Cyn y gwyliau Nadolig (fel y gelwir y cyfnod hwnnw o'r flwyddyn), y dynion ieuainc ydynt yn chwilio am asgwrn pen ceffyl, neu gaseg, asyn, neu asen . . . Wedi paratoi y Mari Lwyd i ymddangos mor debyg i geffyl ag y bydd modd yn ôl y cynllun uchod, yna paratoir y cymeriadau eraill, sef, weithiau, pedwar o gantorion, heblaw un Pwnsh a Shuan; bryd arall ni bydd Pwnsh a Shuan yn gwneyd y rhestr i fyny. Gelwir dau o honynt hefyd yn Sergeant a Chorporal; ond nid yw y rhai hynny bob amser yr un modd – weithiau bydd un o'r ddau yn chwareu y crwth, ac yn actio fel Merryman . . . Pan fyddo Pwnsh a Shuan, byddant mewn gwisgoedd carpiog, ac yn llawn budreddi, düwch parddüog, ac aflerwch, ac yn cymeryd yr enw o ŵr a gwraig. Bydd gwisgoedd yr holl rei ereill yn lân a hardd (os gellir), ac yn llawn ysnodenau; ac yn gyffredin bydd gwregys (sash) llydan hardd am y canol.'

Yna, mae'r 'pwnco' yn dilyn yn union yr un drefn ag a amlinellir gan Myfyr Wyn, ond yna:

'Wedi hynny â Mari Lwyd i mewn yn gyntaf at y menywod – bydd yn chwythu, ffroeni, cnoi, gweryru, dychrynu, &c., ynghyd ag amryw ystumiau ceffylaidd, heblaw ymddyddan. Daw y Merryman â'r crwth, a gwna bob campau a all braidd; yna daw Shuan yn mlaen, gyda'r ysgubell a fydd ganddi yn ei llaw i ysgubo'r aelwyd; ar hynny daw Pwnsh, ac a'i tafla hi i lawr – yno y bydd helynt; Pwnsh drachefn a gusana y menywod, a Shuan â'r brush ar ei ôl ef. Yna, wedi canu, dawnsio, a chwareu digon, eisteddant oll i gael bwyd a diod; ac wedi myned trwy y drama i gyd, canant, -

Dymunwn i'ch llawenydd,
I gynnal blwyddyn newydd,
Tra paro'r gwr i dincian cloch,
Well, well y bo'ch chwi beunydd.'

Roedd gan Nefydd ddamcaniaeth bendant iawn ynghylch tarddiad y Fari, sef ei bod yn cynrychioli olion crefydd 'oesoedd tywyll' Pabyddiaeth:

'Hynod fod y Gwentwysion wedi glynu wrth yr hen draddodiadau gymaint yn berffeithiach nâ'r holl dywysogaeth. Onid un rheswm am hynny yw, fod Pabyddiaeth yn gryfach yma nag un man arall yn Nghymru? . . . Fel hynny, hyderaf na fydd neb mor ffôl ac annuwiol yn Nghymru, ar ol deall o ba le mae yr arferiadau hyn wedi tarddu, ynghyd ag achau ereill perthynol iddynt, o roddi y gefnogaeth leiaf i hen ddefodau Paganaidd a Phabaidd yn gymysgedig â'u gilydd . . . Dymunaf i'r ffolineb hwn (Mari Lwyd), a phob ffolinebau ereill, na chaffont le yn un man ond yn amgueddfa (museum) yr hanesydd a'r henafiaethydd.'

Afraid dweud imi anghytuno'n llwyr!

Roedd gan briodasau ac angladdau hwythau eu harferion a'u hofergoelion unigryw eu hunain. Yn y bedwaredd ganrif ar bymtheg yn y Blaenau, Nant-y-glo, Tredegar a Rhymni, cynhelid pastai wedi darllen y gostegion priodas. Gwahoddid pobl i ymgynnull mewn tafarn leol lle darperid pasteiod a chwrw ar eu cyfer. Deuai pob pâr ag anrheg o arian, neu ddillad, neu ddodrefn yn help i'r dyweddïon baratoi cartref iddyn nhw eu hunain. Yn Nhredegar, yr arfer oedd gwahodd rhyw 40 neu 50 o barau i'r briodas, ac eto deuent ag anrheg ganddynt. Fe delid yn iawn am y gymwynas cyn gynted ag y byddai modd. Yn Llanelli a Gilwern fe'i hystyrid yn ofnadwy o anlwcus i unrhyw ŵr glywed gostegion ei briodas ei hun yn cael eu darllen.

Os nad âi hynt serch y cwpwl priodasol yn rhyw rwydd iawn, roedd gan drigolion Tredegar a Sirhywi ffordd arbennig o ddelio â godinebwyr. Fe glymid y troseddwyr wrth astell neu ysgol, a'u tywys trwy'r ystrydoedd yng nghwmni dyrfa fawr hallt ei dirmyg cyn cael eu peltio â baw, cerrig neu wyau drewsawr. Parhaodd yr arfer tan flynyddoedd cynnar y bedwaredd ganrif ar bymtheg.

Cyn priodi, wrth gwrs, fe godai'r anhawster dyrys o gael hyd i 'enaid hoff, cytûn' yn gymar, ac roedd gan ferched Llanelli a Gilwern

*Stryd Fawr y Blaenau oddeutu 1900. Ar y dde, gwelir Salem, capel Nefydd
o 1845 tan 1872 (Amgueddfa'r Blaenau)*

ddefod ryfedd er mwyn darogan pwy fyddai'r gŵr ffodus – neu i
ddarganfod a oedd priodas i fod o gwbl! Gosodid allwedd fawr ar
bennod gyntaf Llyfr Ruth cyn cau'r Beibl a'i glymu gyda gardys coes
chwith y ferch a fynnai weld y dyfodol. Yna, rhoddai y ddwy ferch eu
bysedd canol o dan ben yr allwedd a chodi'r Beibl a phe bai'n troi tra
adroddid yr adnod, golygai fod y ferch i briodi'r bachgen oedd
ganddi mewn golwg. Pe cwympai'r Beibl, ni fyddai priodas o gwbl.

Roedd yn rhaid cadw at bob math o arferion wrth gladdu'r
meirw. Yr hwyaf ei pharhad oedd traddodiad codi'r angladd neu'r
cwrdd-gweddi. Cynhelid gwasanaeth byr yng nghartref yr
ymadawedig cyn yr angladd. Addurnid y tŷ a llenni gwynion. Mae'r
arfer hwn yn gyffredin iawn o hyd yn nhrefi glofaol yr ardal, fe fûm
yn bresennol fy hunan sawl tro. Yn draddodiadol hefyd, gwŷr yn
unig sy'n hebrwng y corff i'r fynwent. Byddai pobl yn fodlon teithio
milltiroedd lawer er mwyn mynychu angladd. Yn Llanelli, byddai
gorymdaith y gladdedigaeth yn dirwyn i fyny'r lôn o'r pentref i'r llan
a phawb yn cerdded fesul dau dan ganu emynau'r holl ffordd.
Cynhelid cyfeddach ar ôl yr oedfa yn y *Five Bells* (sydd erbyn hyn yn
anhedd-dy preifat), ac nid oedd yn anarferol iddynt barhau o'r dydd

Tafarn y Five Bells, Llanelli (Amgueddfa Bryn-mawr)

Sadwrn (yr hoff ddiwrnod ar gyfer angladdau) tan fore'r Llun canlynol, pan gyrhaeddai perthnasau'r dathlwyr i'w llusgo ymaith i'r gwaith!

Roedd pobl hŷn y plwyf yn credu na allai neb farw mewn gwely plu – yn arbennig petai ynddo blu adar gwyllt fel colomennod neu dyrcïod. Yn ystod ei flynyddoedd cynnar yn y plwyf, ymwelodd Canon D. Parry-Jones â menyw oedd yn poeni'n arw am ei gŵr. Roedd hwnnw'n glaf yn ei wely ac wedi bod yn dost am amser maith. Roedd hi'n awyddus iawn i dynnu'r fatras plu oddi tano i leddfu'i boen ac i'w helpu ar ei ffordd o'r byd. Er ceisio dwyn perswâd arni nad oedd y peth ond yn ofergoel ddi-sail, daeth y ficer i ddeall bod y fenyw yn credu'r peth yn hollol ddiffuant ac ni fynnai ddadlau ragor â hi yn ei thrallod amlwg.

Mae Canon D. Parry-Jones yn dyfynnu'n helaeth iawn o lawysgrifau'r Parchedig Henry Thomas Payne (1759-1832). Ganed y Parchedig Payne yn rheithordy Llangatwg (y plwyf nesaf i'r gogledd) a'i dad yn rheithor y plwyf. Cyn dod yn rheithor Llanbedr Ystrad Yw ym 1793, gwasanaethodd fel curad Llanelli. Roedd yn ŵr craff a chymwys ac mae'i lawysgrifau'n cynnwys llawer o wybodaeth hynod ddifyr ynghylch bywydau'i blwyfolion. Ymddiddorai'n fawr iawn yn ei harferion, eu dillad, eu bwyd a'u hofergoelion.

Ym 1785, ysgrifennodd ddisgrifiad manwl o blwyf Llanbedr a

chan fod Llanbedr a Llanelli mor agos i'w gilydd, nid amhriodol ei gynnwys yma. Roedd adeiladau'r ffermydd fel arfer yn ffurfio un rhes gyda phobl ac anifeiliaid o dan yr un to. Roedd cyntedd llydan yn gwahanu'r beudy wrth y tŷ ei hun ac roedd y tŷ'n cynnwys cegin fawr a arweinia at ddwy ystafell lai – y naill yn bantri a'r llall yn siambr wely fechan. Roedd yr ystafell lan llofft yn siambr wely gyffredin – cysgai'r meistr a'r feistres ar wely mawr uchel a'r gweision wedyn ar fatresi ffloc ar y llawr o amgylch yr ystafell. Roedd y gweision bach yn aml yn cysgu mewn llofft uwchben y beudy. Llenwid ffenestri'r tai â delltwaith o bren helygen yn hytrach nag â gwydr.

Cadwai'r bobl dlotaf fochyn ac fe roddai ffermwyr ryw ddernyn bychan o dir i'w glirio ar gyfer tatws. Byddid yn halltu cig eidion yn ogystal â bacwn a chig moch a byddent yn ofalus i baratoi digonedd o seidr a chwrw bach at y cynhaeaf. Ni phrynent byth gig o'r farchnad ac eithrio ar achlysuron arbennig fel bedyddio'u plant. Roedd y rhai tlotaf yn eu plith yn byw ar lymru llaeth, bara, caws a thatws. Gwneid eu bara ar ffurf cacennau tenau a llydan o'r enw 'bara llechwen'. Darn o faen gwyn gwastad oedd y 'llechwen' ac erbyn amser Henry Payne, roedd darnau o haearn wedi disodli'r hen feini er bod yr un enw'n dal i gael ei ddefnyddio arnynt. Roedd y curad o'r farn fod y ffordd hon o bobi bara'n un ddrwg *as it occasions a very unnecessary waste of flour'!*

Roedd eu dillad o frethyn cartref glas, brown neu stribedog wedi'i weu'n llcol. Fel arfer, gwisgai'r ffermwyr o'r mynydd siaced, gwasgod, rhyw ddilledyn isaf yn agored o gwmpas y pengliniau *('a lower garment open at the knees')* a hosanau o edefyn cwrs. Hyd at y 1760au, roedd crysau o wlanen goch yn gyffredin iawn hefyd. Addurnid coleri a chyffiau'r crysau â phwythau cymen gwyn. Yn amser Henry Payne er bod y ffasiwn ar ei hencil, roedd yr hen bobl yn dal yn gryf o blaid yr hen grysau cochion. Gwisgai menywod hŷn ynau llaes o frethyn gyda pheisiau o wlanen stribedog neu blad, ffedogau siec a hancesi amryliw am eu hysgwyddau a'u gyddfau. Gwisgent hefyd hetiau gyda chantel llydan a chorun isel a hosanau glas neu ddu a sifft o wlanen goch. Mewn tywydd gwlyb neu oer, roeddent hefyd yn gwisgo clogyn hir o frethyn glas i lawr yn is na'u pengliniau.

Byddai'r merched ifanc yn rhodresa mewn hancesi a ffedogau

gwynion, cotiau ysgarlad gydag ymylon ffwr, capiau mop wedi'u plethu a'u clymu o dan yr ên â rhubanau lliwgar a hetiau crwn o groen afanc yn yr un ffasiwn yn gymwys â'r dynion. Roedd Henry Payne yn edmygu'u taclusrwydd a'u cymhendod a sylwai'n arbennig ar eu prydliw da ac iach a'u dannedd bychain, gwynion *which they are very careful of*. Mac'n drawiadol na cheir unrhyw sôn am yr het uchel Gymreig 'draddodiadol'.

Ymddengys i'r plwyfolion ei chyfrif yn anrhydedd amhrisiadwy gael eu claddu dan lawr yr eglwys yn hytrach nag y tu faes yn y fynwent. Gan fod cynifer yn mynnu cael gorweddfan o fewn yr eglwys, buan iawn y daeth yn llawn a rhaid oedd claddu rhai o'r hoelion wyth hyn yn agos beryglus at wyneb y llawr. Bu'r canlyniad yn anochel wrth gwrs, ac adroddir fod clerigwr lleol yn aml wedi cael ei orfodi i adael yr eglwys yng nghanol y gwasanaeth dwyfol, wedi'i lwyr lethu gan ddrewdod y celanedd pwdr. Arfer dychrynllyd arall oedd y siarnel gyffredin lle pentyrrid esgyrn yr ymadawedig mewn cornel yn y fynwent a'u gadael yn wasgaredig o gwmpas 'i'w defnyddio gan fechgyn at chwarae bando a chael eu cnoi gan gŵn'. Rhoddodd y Parchedig Payne ben ar yr arfer trwy orchymyn cloddio tyllau mawrion er mwyn claddu'r esgyrn â phob teilwng barch. Ar gyfer Sul y Blodau addurnid croes bregethu ganoloesol Llanelli â thorchau a blodau fel cofeb gyffredin i'r rheini a gladdwyd mewn beddau diarwydd. Ystyrid bargeinion a wneid yn ei chysgod yn arbennig o gysegredig, a gwae'r sawl a'u torrai.

Agwedd arall ar ffordd o fyw'r ardalwyr oedd y gwyliau mabsant a gynhelid yn yr awyr agored ar ddygwyl nawddsant y plwyf. Dethlid yr achlysur â chwaraeon traddodiadol a digonedd o godi'r bys bach! Ym mis Mehefin y cynhelid yr ŵyl yn y Blaenau, ac ym 1779 fe gofnododd Edmund Jones ei anghymeradwyaeth ddigymysg:

'Erstalwm, cynhalient eu gwyliau mabsant ar ddiwrnod y cysegriad ym mis Chwefror, yr hyn a newidiwyd erbyn hyn i Ddygwyl Pedr ym Mehefin, ac arni ni chynhelir unrhyw addoliad o fath yn y byd, ond digonedd o bechod a gyflawnir, canys dim amgen na phechod yw gwaith y dydd, a mesur y pechu'n fawr iawn . . .'

Yn Llanelli, yr arfer oedd cynnal yr ŵyl ar y Sul o flaen Awst 14. Cynhelid gwasanaethau yn y bore, a rhoddid gweddill y diwrnod i chwaraeon traddodiadol. Roedd yna rasio a neidio, taflu'r pwys, ymgodymu, bando a hyd yn oed rasio ceffylau. Bu mynd mawr hefyd ar baffio dyrn-noeth, ond ym 1793 cafodd Richard Pritchard, a drigai ger Tŷ Clydach, greuloned crasfa fel y bu farw o'i anafiadau. Liw nos, symudai'r miri i dafarndy lleol lle treulid gweddill y noson wrth lymeitian a dawnsio.

Yn Nhredegar, cynhelid gŵyl debyg i'r ŵyl mabsant yn Y Felin i'r de o'r dref, ac mae maen y felin i'w weld hyd heddiw yng ngerddi Tŷ Bedwellte. Roedd ardalwyr Dyffryn Sirhywi yn arfer cwrdd ynghyd yng nghartrefi ei gilydd i wrando ar ddarlleniadau o'r Beibl. Cynhelid y cyrddau hyn yn rheolaidd yn ffermydd Pen Rhos, Llyswedog Fach a Thwyn Sirhywi. Roedd Glan Rhyd Uchaf (ger y Twyn) yn orffwysfa i'r porthmyn ar eu ffordd i farchnadoedd Llundain, a hefyd yn ganolfan paffio dyrn-noeth. Un o bencampwyr 'y wyddoniaeth' yn yr ardal oedd John Jones, Sioni Sguborfawr, a enwyd ar ôl y fferm lle'i ganwyd hanner ffordd rhwng Heathfield a Phyllau Bedwelltc (fe honnai eraill mai brodor o Ferthyr ydoedd). Ei gyfaill mynwesol oedd Dai'r Cantwr, o Lancarfan, bardd 'Y Gân Hiraethlawn'. Wedi ffoi i Sir Gaerfyrddin yn sgil Gwrthryfel y Siartwyr ym 1839, chwaraeodd y ddau ran amlwg yn helyntion Merched Becca cyn cael eu dedfrydu i alltudiaeth am oes yng ngwres a chrasboethni Van Diemen's Land (sef Tasmania erbyn hyn).

Ar hyd a lled y fwrdeistref, fe gofnodwyd toreth o arfcrion rhyfedd eraill, er enghraifft yn ystod y 18fed ganrif cyfrifid cymylau isel ar ben y Domen Fawr yng Nglyn Ebwy yn arwydd ddi-ffael o dywydd glawiog a pha ryfedd! Credid gynt fod gwenoliaid yn cysgu trwy'r gaeaf mewn ogofau neu o dan y ddaear yn hytrach nag ymfudo i wledydd caredicach eu hinsawdd. Yn ôl Edmund Jones unwaith eto:

'Aeth Brodor o'r Plwyf a weithiai yn y Lofa yn Rhase yr Glo [sef y Rhasau] i mewn i un o'r Pyllau a oedd heb gael ei weithio am beth amser; a darganfu yno nifer o Wenoliaid i bob golwg yn farw, yn hongian gerfydd eu Pigau y rhain yr oeddynt wedi'u gwthio i'r Clai yn nho'r Pwll; ac felly'n ddi-anadl ac yn eu cyflwr cysglyd . . . Achlysur sydd yn Brawf nad yw'r holl Adar hyn yn ymfudo o'r Wlad yn y Gaeaf, fel y dychmygai pobl gyhyd, ond eu bod yn cilio i dyllau'r Ddaear ac yn aros yno nes y daw'r Gwanwyn yn ei ôl . . .'

Yng Ngilwern a Llanelli, ni ddefnyddid coed y pren ysgafn fel tanwydd gan y credid mai ar y goeden honno y croeshoeliwyd yr Iesu. Nid eid byth ag eirlysiau i mewn i'r tŷ, a phe bai rhywun mor fyrbwyll â mynd â chennin Pedr i mewn cyn y Pasg, ni fyddai wyau gŵydd byth yn deor. Bu'r olaf o Gymry Cymraeg brodorol y plwyf farw yn y 1950au sef Mr a Mrs Jenkins, *Llanelly Hill,* ond cyn hynny roeddynt wedi pasio'r pos hwn ymlaen at D. Parry-Jones:

'Pren cam cwmws,
Yn y coed y tyfws,
Y saer ddechreuws,
Y gof gwplws.

Ateb – gât.'

Roedd pobl plwyf Llanelli yn arfer cadw copi o lythyr yr honnid iddo gael ei ysgrifennu gan Iesu Grist – roedd rhai'n ei gadw mewn ffrâm yn hongian ar y wal ac eraill yn ei drin fel swynbeth a'i gario wedi'i blygu mor agos â phosibl at eu calonnau. Yr enwau lleol ar y llythyr honedig hwn oedd y 'Pader Gyntaf' neu 'Llythyr ein Hiachawdwr'. O gael ei hongian yn y tŷ, byddai'r llythyr yn gwarchod y tŷ ei hun a'r teulu oll rhag unrhyw anffawd. Fersiynau Saesneg oedd y rhain o'r 'Llythyr dan Garreg' a oedd mewn bri yn yr ardaloedd Cymraeg. Yn ôl chwedloniaeth y traddodiad, darganfuwyd y llythyr o dan garreg enfawr ar Galfaria Fryn.

Roedd tueddfryd rhai o drigolion Sirhywi a Thredegar dipyn yn wahanol ac yng nghanol y bedwaredd ganrif ar bymtheg, roedd bri mawr ar ymladd ceiliogod yn y cylch. Dyma Myfyr Wyn eto:

'Ni fu Mocyn Charley yn enwog mewn dim ond un cyfeiriad,

sef ymladd ceiliogod, a'r unig reswm sydd gennyf dros roddi lle iddo yn fy atgofion ydyw sylwi fod y Twyn yn yr hen amser yn lle atyniadol i gampwyr yn y gelfyddyd greulon honno, ac i ddangos i gymaint eithafion yr oeddynt yn myned yn y cyfeiriad ar ôl dechrau ynddi. Gwelais hwynt droeon pan oeddwn yn hogyn bychan, yn gynulleidfaoedd lluosog yn ymgynnull yn ddi-gêl yn yr hen *Horse Run*, ac nid oedd neb yn fwy blaenllaw yno na Mocyn. Ac er i'r darllenydd gael syniad o'i sêl yn y gwaith, rhoddaf yma yr hanesyn canlynol amdano.

Cloc y Dref, Tredegar
(Cyngor Blaenau Gwent)

Yr oedd mab iddo wedi marw, yr hwn oedd yn ddyn ieuanc mewn oed, ac ystyrid ei fod wedi cael ergyd caled a cholled drom yn ei farwolaeth. Wrth ddychwelyd o'i angladd, aeth Mocyn a'i gyfeillion i dafarn yn ymyl y ffordd o'r fynwent, ac amlygodd rhyw gyfaill a oedd yno ei gydymdeimlad tuag ato, trwy ddweud ei fod wedi cael colled fawr trwy gladdu'r bachgen. 'Wel, do, do, wir, wir,' ebe Moc, 'Odd a wedi dod yn un o'r dreswrs cilocod glanha weles i ariod!"

Yn ôl Evan Powell, prif chwaraeon ardal Tredegar ym mlynyddoedd cynnar y bedwaredd ganrif ar bymtheg oedd 'cicio pêl droed' a 'chwarae bando'. Roedd y ddau'n chwaraeon hynod beryglus – yn arbennig yr olaf. Serch hynny, roedd y ddau'n cael eu chwarae'n aml ac yn ddeniadol iawn. Roedd chwaraewyr bando i gyd â 'bandy' neu bastwn ar gyfer taro'r bêl, a wneid yn arw iawn o bren, a'r criw a lwyddodd i daro'r bêl i'r gôl oedd yn fuddugol.

Mae'n amlwg bod hiwmor a ffraethineb yn agwedd amlwg ar gymeriadau Cymry'r gweithiau. Dyma ddau hanesyn a gofnododd Myfyr Wyn. Mae'r cyntaf am ei gyfaill annwyl a'i athro barddol Joseph Bevan (Gwentydd):

'Digwyddodd fod mewn cwmni un tro, a'i ddiwyg dipyn yn aflerw a hen ffasiynol, a daeth gof a fu'n cyd-weithio ag ef flynyddoedd cyn hynny i'w plith, wedi ymwisgo mewn brethyn du costus, yn yr arddull ddiweddaraf, ond ni wnaeth un sylw o'i hen gyd-weithiwr Gwentydd, tra siaradai yn serchog ag eraill oedd yno. Eithr ni fynnai'r rhai hynny wrando arno, a thalent fwy o sylw i Gwentydd. Pan welodd y gof trwsiadus hynny, tybiodd ei fod yn well iddo yntau droi ei sylw ato, a chyfarchodd ef yn hanner gwatwarus fel y canlyn –

'Bachan, Joe, o ni yn napod tamad o ti, fe gretas ta rhw dincar odd na.'

'Paid ito dim,' meddai yr hen Joe, 'i ni'n dou wedi camsynad ymhell, wath fe gretas inna ta gŵr bonheddig o titha.'

Mae'r ail yn dangos mor anodd oedd gwaith yr hen gwnstabliaid plwyf yn y gymdeithas ymfflamychol newydd a oedd wedi ymgasglu o gwmpas y gweithiau:

'Nid oedd yno yr un heddgeidwad yn fy nghof i, ac nid oedd ymddangosiad y 'cwnstab' yn peri ond ychydig ddychryn iddynt, gan mai un o'r ardalwyr oedd hwnnw bob amser, a hwnnw yn cael ei newid yn flynyddol. Cof gennyf am un ohonynt, yr hwn oedd yn llai o faintioli mewn ystyr gorfforol na'r cyffredin o blant Adda, ac adwaenid ef gan y lliaws wrth yr enw Zacheus yn herwydd prinder ei delpyn clai; ond gan ei fod yn drethdalwr, yr oedd yn rhaid iddo sefyll y swydd o gwnstab yn ei dro fel eraill, ac yn ystod tymor ei swyddogaeth digwyddodd anghydfod ymhlith rhai o chwarelwyr y Trefil, a bu yno ymladdfa beryglus. Bu raid anfon am yr awdurdod a breswyliai yn y babell fechan i ddyfod yno i osod pethau mewn trefn, a chyn gynted ag y gwnaeth ei ymddangosiad, aeth i goleru rhyw hen Sais mawr cyhyrog tua dwy lath o hyd, ond gafaelodd hwnnw ynddo yn ddiseremoni a thaflodd ef ar ei ysgwydd fel llwdn dafad, ac o'r uchelfan honno gwaeddai y cwnstab bach yn iaith y troseddwr – '*Now, now, if you don't put me down, I will take you up.*'

Ffynhonnau Iachaol

Cyffredin iawn ymhlith y Celtiaid oedd y gred yn rhinweddau meddyginiaethol a sancteiddrwydd eu ffynhonnau. Mae gwreiddiau'r fath gred ynghudd yn y gorffennol pell, pan gynigid offrymau o aur ac arfau ac eneidiau dynol i dduwiesau a duwiau dŵr a drigai mewn llynnoedd a ffynhonnau. Mae rhyw atgofion pell o'r credoau hyn wedi goroesi hyd heddiw yn ffynhonnau iachaol y gwledydd Celtaidd.

Safai Ffynnon Wen neu Ffynnon Illtyd ger ffermdy Argoed ar Frynithel nes cael ei dinistrio gan ffermwr lleol. Âi ardalwyr yno i olchi anafiadau yn y gobaith o gael gwellhad. Rhydd y Ffynhonnau Oerion eu henw i'r Mynydd i'r dwyrain o Gwmtyleri (Twyn Ffynhonnau Goerion sydd ar fapiau'r Ordnans erbyn hyn!), ac ystyrid hwythau yn iachaol. Yn y 18fed ganrif cymerai boneddigion hoe yno i ddisychedu wrth hela. Edrydd Edmund Jones hanesyn am ffynnon arall yn rhywle ger y Blaenau:

> 'y Ffynnon feddyginiaethol a elwir Ffynnon Rhiw Newyth, yn Nyffryn yr Eglwys . . . Dywedir ei bod wedi perfformio llawer iachâd yn yr amseroedd a fu, a gosodwyd meini o'i chwmpas gan ryw berson daionus, caredig ond fe'i dymchwelwyd gan ryw Feddwyn cas o Ddyn . . . Mae'r Ffynnon yn awr yn ddiffaith, fel petai wedi colli ei rhinwedd, er nad wyf yn sicr ei bod hi, petai pobl yn mynd ati mewn Ffydd a sobrwydd.'

Credid hefyd fod y Ffynnon Gistfaen a Ffynnon y Gog yng Nghwm Clydach yn meddu ar allu i wella afiechydon. Tua diwedd y 1780au disgrifiodd y Parchedig Henry Payne yr hyn a welodd ger y Ffynnon Gistfaen. Yno fe ganfu hen fenyw yn disgyn ar hyd llwybr peryglus o serth o gopa'r mynydd i lawr i'r glyn. Lle'r oedd yn bosibl iddi wneud, stopiodd a threulio ychydig funudau ar ei phengliniau a'i dwylo ynghlwm gan weddïo'n daer i bob golwg. Gwnaeth hyn sawl gwaith wrth ddisgyn y llethr. O'r diwedd, wedi cyrraedd y gwaelod, ymgroesodd yn dduwiol a phenlinio ac ymddangos fel petai'n gweddïo â chyffro mawr am tua chwarter awr. Yna, fe dynnodd ei

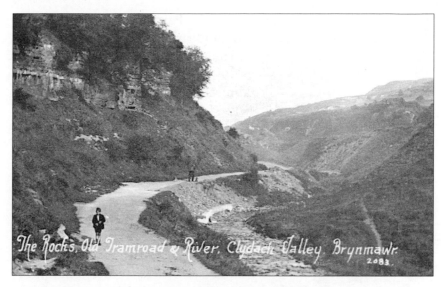

Rheilffordd Clydach ar ben uchaf y cwm
(Amgueddfa Bryn-mawr)

hesgidiau a'i hosanau, ei hances gwddf a'i chap a cherdded i mewn i
ddŵr y ffynnon ac, wrth blygu, fe daflodd ddŵr yn ôl dros ei phen.
Wedyn, golchodd ei hwyneb, ei gwddf a'i phen yn ogystal â'i thraed
a gorffenodd y seremoni â gweddi faith ar ei phengliniau cyn gwisgo
amdani.

Ym marn Henry Payne, roedd y ddefod o ymgroesi a thaflu'r
dŵr yn ôl dros ei phen i fod i wrthweithio grym maleisus rhyw
ysbrydion drwg a drigai yng nghilfachau glyn cyfagos o'r enw Cwm
Pwca. Yn y 1780au, roedd y trigolion o amgylch y glyn ag ofn dirfawr
y pwca oedd yn byw yna. Roedd y ffynnon yn enwog o hyd yn y
1960au am iachau pigyrnau wedi'u hysigo ac anafiadau eraill i
goesau a breichiau. Hawliai rhai fod pobl yn dod yr holl ffordd o
Lundain i fanteisio ar rinweddau'r ffynnon.

Wrth ddilyn yr hen dramffordd (a osodwyd ym 1793) i lawr
Cwm Clydach o Fryn-mawr, roedd sawl rhaeadr a phistyll nodedig ar
hyd y ffordd. Peth pellter o'r dref, roedd Ffynnon Rachel a gyflenwai
ddŵr ar un adeg ar gyfer nifer helaeth o drigolion rhan ddwyreiniol
Bryn-mawr. Ryw filltir ymhellach, saif traphont a godwyd ym 1793 i
gario'r dramffordd dros Nant yr Hafod gyda'i rhaeadr hyfryd. Yn ôl

Pistyll Mawr
(Amgueddfa Bryn mawr)

Canon D. Parry-Jones, yr hen enw cynhenid arni oedd Pistyll Mawr – ond mae tystiolaeth bod 'Pistyll Mawr' arall ar ochr arall y cwm a ddinistriwyd pan agorwyd lefel lo ym 1812. Ta waeth am hynny, yr enwau Saesneg arni bellach yw *'Whitehouse Fall'* neu *'The Big Spout'*. Roedd llawer o bobl wedi gweld angylion yn y dŵr ac yn ystod heth gaeaf 1947, pan rewodd y rhaeadr yn gorn caled, cerfiodd rhyw artist anhysbys angel enfawr a'i adenydd ar led yn yr iâ. Un o'r enwau arall arni, felly, oedd yr *'Angel Fall'*. Ryw dri chanllath ymhellach eto, safai unwaith Pont Harri Isaac a enwyd felly am fod rhyw wystlwr o'r un enw wedi boddi yn y pwll dwfn odano.

Heb fod ymhell iawn i'r dwyrain o Ffynnon Gistfaen gwelid gynt Rhaeadr yr Enfys – tarddodd yr enw o'r ffaith fod haul y bore yn ystod yr haf yn creu holl liwiau'r enfys yn y dŵr. Câi plant ei hanfon yno i wylio'r tylwyth teg yn dawnsio y tu ôl i dasgfeydd y dŵr.

O gerdded ryw ganllath a hanner arall, deuid o hyd i Ffynnon y Gog. Rhyw gafn bychan yn ochr y graig oedd hwn lle rhedai'r dŵr i lawr wyneb y graig i gasglu yn y cafn. Roedd yn enwog am wella clefydau'r llygaid. Hyd at y 1960au, deuai pobl i olchi eu llygaid yn y dŵr, ac anfonid amryw byd o blant a ddangosai unrhyw wendid yn eu llygaid neu'u golwg i'r man ar eu hunion. Byddai llawer yn ymgasglu yno ar foreau Sadwrn wedi'u hanfon yno gan eu rhieni.

Cyn adeiladu'r A465 Ffordd Blaenau'r Cymoedd safai tŷ ym mhentref Graig Ddu o'r enw *The Boat House* a rhyw 160 llath i'r dwyrain roedd Ffynnon Daniel a oedd yn cyflenwi dŵr i'r pentref. Yn ôl Canon D. Parry-Jones, pan anfonwyd peth o'r dŵr i gael ei ddadansoddi, darganfuwyd bod olion aur ynddo. Lle mae Nant

Llammarch yn ymuno ag Afon Clydach mae'r Trobwll neu'r Pwll Diwaelod a hawliodd lawer i fywyd – y gred leol oedd bod y pwll yn mynnu un bywyd ymhob cenhedlaeth. O bryd i'w gilydd, âi'r pentrefwyr ati i'w llenwi â thalpiau mawr o garreg a boncyffion trwchus. Ond ni lwyddwyd a sgwriwyd ymaith ar fyr o dro unrhyw beth a deflid iddi. Yn ôl arbenigwyr ogofa, mae dŵr y pwll yn cael ei sugno i lawr i'r labyrinth o ogofâu byd-enwog sydd o dan waelod y cwm.

Yr oedd yna ffynnon ar y Rhotfa (y darn o dir rhwng afonydd Wysg a Chlydach) a fedrai gwella clefydau'r llygaid.

Beirdd a Baledwyr

Roedd beirdd gwlad yn chwarae rhan bwysig ym mywyd trigolion yr ardal. Wrth roi hanes marwolaeth ei fodryb Elizabeth Roger, un o ferched fferm Clun Mawr ger Abertyleri tua 1709, mae Edmund Jones yn adrodd:

> 'Yr oedd ei ffordd obeithiol o farw yn adnabyddus yn y Gymdogaeth oll ac yn cael ei thrafod â chryn barch. A Bardd, yn y Plwyf, mewn Marwnad iddi a fynegodd yn deilwng ei thrawsnewidiad hapus. Fe glywais ef yn ei chanu wrth fy Mam, yr hon a'i clywodd yn ei dagrau, yn gymysg â chysur.'

Wrth sôn am helyntion 'Hen Wrach y Bryniau', mae Edmund Jones yn adrodd sut yr arweiniwyd bardd lleol ar gyfeiliorn ganddi:

> 'yn ôl ac ymlaen ar ddiwrnod niwlog . . . ac ar ôl cryn grwydro, daeth at lwyn o hesg, yr hyn a roes gymaint bryder iddo, fel y lluniodd wedyn gerdd o gŵyn ac edliwiad yn ei herbyn, yn yr hon y crybwyllodd ei het bedair gonglog, & c.'

Ymhlith hen lawysgrifau'r Llyfrgell Genedlaethol, mae 'Llyfr Jenkin Richards' a adwaenir bellach fel Ll.G.C 1372 B neu Llawysgrif Llanofer B12. Lluniwyd y llawysgrif oddeutu 1660 gan Jenkin Richards o Lanhyledd ym Mlaenau Gwent. Eglwyswyr a brenhinwr i'r carn oedd Jenkin Richards ac adlewyrchir ei argyhoeddiadau cryf yn yr amrywiaeth o gerddi (gan gynnwys ei waith ei hun) a ddewisodd gadw yn ei lyfr. Mae'n gasgliad amrywiol a diddorol o gerddi caeth a rhydd ac yn eu plith, er enghraifft, mae awdl, cywydd a dwy gyfres o englynion gan Edward Dafydd, y Pabydd ymfflamychol o Drefddyn. Mae ynddi hefyd sawl cerdd yn cystwyo'r Piwritaniaid a'r Anghydffurfwyr ac yn dyheu am y dydd y daw'r brenin yn ei ôl i hawlio'i deyrnas:

> 'Gresso n brenin mwyn os daw
> y hela taw ar ladron.'

Yn ogystal â'r cerddi gwleidyddol ac amserol hyn, mae'r llawysgrif hefyd yn cynnwys gweithiau rhai o feirdd mawr yr Oesoedd Canol fel Siôn Cent, Dafydd ap Gwilym, Iolo Goch a Tudur Aled. O waith Jenkin Richards ei hun, ceir ynddi ryw hanner cant o englynion a dyrnaid o gerddi rhydd sy'n dangos bod modd dysgu ac arddel yr hen fesurau caeth yn ogystal â'r rhai rhydd newydd ym Mlaenau Gwent ar y pryd. Mae Llyfr Jenkin Richards yn rhoi syniad go glir inni felly o ddiddordebau a chyraeddiadau beirdd Blaenau Gwent adeg y Rhyfel Cartref ac mae rhai ysgolheigion yn maentumio mai Blaenau Gwent oedd canolfan bywyd llenyddol Sir Fynwy i gyd yn ystod y cyfnod cythryblus hwnnw.

Yn ystod y ganrif ganlynol, daeth beirdd eraill o Flaenau Gwent i'r amlwg ac yn arbennig felly mewn cyswllt â thwf Anghydffurfiaeth. Un o'r rhain oedd Harri Siôn (1664-1754), un o Fedyddwyr cynnar yr ardal. Cyhoeddodd gyfrol o gerddi ac emynau o dan y teitl *Rhai Humnau a Chanuau Duwiol* ym 1747 ac fe'i hadargraffwyd ym 1773 ac unwaith eto ym 1817. Serch eu poblogrwydd ar y pryd, rhaid cytuno â barn y Bywgraffiadur bod cerddi Harri Siôn *'more remarkable for their piety than their poetry'!* Dyma ran o 'Humn XII':

> 'Mae Cariad Crist yn hyfryd iawn,
> Yn Ymborth llawn Llawenydd;
> Tân nefol iw i'r byw'n ddi-ball;
> Nid Dwr y fâll a'i diffydd,'

Wedi dweud hynny, mae'n amlwg bod traddodiad y canu caeth yn fyw o hyd oherwydd roedd Harri Siôn hefyd yn gallu llunio englyn digon glân a chywir, fel hwn sy'n cloi ei gyfrol:

> 'Boed bendith fel gwlith in gwlad om llyfr,
> A llafur fy nghariad,
> I'r banneu boed derbyniad,
> Ai toi gan yspryd y Tâd.'

Ymhlith Methodistiaid cynnar Blaenau Gwent oedd Edmund

Williams a Morgan John Lewis a gyhoeddodd *Hymnau Duwiol o Gasgliad Gwŷr Eglwysig* ym 1741. Gŵr o Gwm Nant y Groes ger *Six Bells* oedd Edmund Williams a chafodd dröedigaeth wrth wrando ar Howell Harris ym 1738. Daeth o gefndir gweddol gefnog ac roedd wedi cael addysg dda a daeth yn uchel ei barch ymhlith y Methodistiaid fel 'cymhellwr' ysbrydoledig. Bu farw'n ifanc ym 1742 a chyhoeddwyd casgliad arall o'i waith ar ôl ei farwolaeth o dan y teitl *Rhai Hymnau Duwiol o Waith Edmund Williams*. Roedd Edmund Jones yn ei edmygu'n fawr ac mae'n ei ddisgrifio fel:

'Bonheddwr ifanc, hardd yr olwg a aned i ystâd dda, petai wedi cael byw. Yr oedd yn hyddysg iawn; o dymer ac anianawd ardderchog; yn ŵr hynaws, cyfeillgar a heddychlon. Yn selog a diwyd mewn ffyrdd duwioldeb, fel un a wna'r gorau o'i ffordd i'r nef am fod ei amser yn fyr. Cyhoeddodd rywbeth yn erbyn dawnsio a chyfeddach.'

Ac yn wir, ar ddiwedd y gyfrol ar gyhoeddwyd ar ôl ei farwolaeth, ceir 'Ymddiddan rhwng Cristion a Ieunctyd ynghylch Dawnsio':

Cris.   Dydd da i chwi Ieunctyd hawddgar, tua ph'le yr ydych yn myned mor drwysiadus?

Ieun.   A glywsoch chwi ddim? Yr ydym yn myned tua'r Dawns, accw draw, i hela Awr, neu Ddwy yn llawen, beth sydd well bryssywch, i ddyfod gyd a ni.

Cris.   Nid wyf ar feder; ofer, ofer, a phechadurus jawn yw'ch Gwaith a hynnu a wn yn dda, trwy Drugaredd.'

Ac felly yn ei flaen am hydoedd, rwy'n ofni!

Mae gan blwyf Llanelli gysylltiadau uniongyrchol ag un o gewri Cymreictod y bedwaredd ganrif ar bymtheg, sef Thomas Price (1787-1848), ficer Cwm Du, a adwaenid yn well wrth ei enw barddol 'Carnhuanawc'. Bu Carnhuanawc yn gurad y plwyf rhwng 1816 ac 1825. Yn bleidiwr tanbaid dros y Gymraeg a'i diwylliant, roedd buddiannau'r werin wastad yn agos at ei galon. Bu'n dadlau am flynyddoedd am addysg trwy gyfrwng y Gymraeg i blant Cymru a sefydlodd ysgol Gymraeg yn y Gelli Felen yng Nghwm Clydach ar ei gost ei hun ym 1820. Hon oedd yr ysgol gyntaf o'i math yng Nghymru. Thomas Price hefyd oedd y cyntaf i sylweddoli ac i ddatgan yn gyhoeddus mai'r bobl gyffredin oedd cynheiliaid pwysicaf yr iaith a'i diwylliant. Fel deon rhan o dde Brycheiniog, mynnai fod y clerigwyr o dan ei awdurdod yn gweinidogaethu i'w plwyfolion yn eu mamiaith. Bu hefyd yn hallt iawn ei feirniadaeth o'r modd y cynhelid oedfaon yn Saesneg er cyfleuster ychydig gyfoethogion ac ar yr arfer o roi esgobaethau a bywoliaethau i ddynion na fedrent y Gymraeg.

Carnhuanawc
(Amgueddfa'r Fenni)

O ddyddiau'i ieuenctid, bu ganddo ddiddordeb angerddol yn y delyn deir-rhes ac fe oedd yn gyfrifol am sefydlu'r *Welsh Minstrelsy Society* ac fe agorwyd ysgol ar gyfer telynorion dall yn Aberhonddu fel canlyniad. Canu'r delyn oedd un o'r ychydig ffyrdd y medrai plant dall y werin ennill unrhyw fath o fywoliaeth. Thomas Price hefyd oedd y gwir rym y tu ôl i weithgareddau Cymdeithas Cymreigyddion y Fenni o 1833 hyd ei farwolaeth ym 1848. Fel un o ysgolheigion Celtaidd mwyaf blaenllaw ei oes, roedd Carnhuanawc yn gyfrannwr cyson i gyfnodolion a chylchgronau Cymraeg. Ymddangosodd ei gyfres gyntaf o erthyglau ar gyfer *Seren Gomer* ym 1824. Roedd hefyd yn hynafiaethydd o fri a bu'n gyfrifol am gofnodi a chyhoeddi disgrifiadau o nifer o henebion archaeolegol yr ardal. Cyhoeddodd ei waith enwocaf – *Hanes Cymru* – rhwng 1836 a 1842 yn swmp o gyfrol o 800 o dudalennau. Mae'n anodd credu mai'r gyfrol hon oedd yr unig hanes cynhwysfawr a gyhoeddwyd yn y Gymraeg mewn un gyfrol tan ddiwedd yr ugeinfed ganrif.

Mae Tredegar hefyd yn gallu hawlio cysylltiadau â llenorion o fri

*Cynddelw (Llyfrgell
Genedlaethol Cymru)*

cenedlaethol. Ganed Robert Ellis, Cynddelw, yn sir Drefaldwyn ym 1812 a gwasanaethodd fel gweinidog capel Carmel, Sirhywi, rhwng 1847 a 1862. Ym 1849, cyhoeddodd awdl 'Yr Adgyfodiad' yn *Seren Gomer* a honno a enillodd iddo glod fel bardd ac a roddodd yr enw barddol 'Cynddelw' arno. Ei waith gorau fel bardd oedd 'Cywydd y Berwyn' ond lluniodd hefyd 'Awdl ar Ddistawrwydd' a dderbyniodd ganmoliaeth uchel. Bu'n feirniad barddoniaeth uchel ei barch a chyhoeddodd nifer o gyfrolau a llyfrau. Mae *Tafol y Beirdd* (1853) yn ymdrin â'r mesurau traddodiadol. Golygodd ail argraffiadau o *Gorchestion Beirdd Cymru* (1864), *Barddoniaeth Dafydd ap Gwilym* (dim dyddiad) a bu'n gyfrifol am adolygu a chyhoeddi barddoniaeth Dewi Wyn o dan y teitl *Blodau Arfon* ym 1869. Gwasanaethodd fel golygydd *Y Tyst Apostolaidd* (1846-50), *Y Tyst* (1851) ac *Y Greal* (1852-3) a bu hefyd yn olygydd barddoniaeth ar gyfer *Seren Gomer* rhwng 1854 ac 1859 ac ar gyfer *Y Greal* o 1852 hyd ei farwolaeth ym 1875.

Roedd Cynddelw'n bregethwr ardderchog ac mae'n amlwg o atgofion Myfyr Wyn fod gan bawb yn y gymdogaeth feddwl mawr ohono:

'Y tu allan i aelwyd fy nhad a'm mam, un o'r rhai cyntaf, os nad y cyntaf, a wnaeth argraff arhosol ar fy nghof oedd y Parch. R. Ellis (Cynddelw), ac nid yw hynny yn un syndod i mi, gan fod ei ymddangosiad . . . yn ei wneud yn wrthrych sylw i bawb o bob oed. Dyn mawr golygus, wyneb-agored, a boneddigaidd, na chyfarfyddid â'i debyg mewn ystyr gorfforol ond anfynych iawn ydoedd, ac ni allai neb a fyddai'n meddu gwreichionen o edmygedd at urddasolrwydd dynol lai na thalu gwrogaeth iddo. Yr oedd yn y cylch gymeriadau lled afrosgo nad oeddynt yn malio rhyw lawer am neb pwy bynnag, ond gallaf sicrhau na ddarfu i un ohonynt, yn fy nghof i, lai na thalu pob parch a gwrogaeth i Cynddelw ym mhob man, a than bob amgylchiad. Yr oeddynt yn foesgar yn ei wyddfod, ac yn ei anrhydeddu yn ei absenoldeb. Nid wyf yn cofio ei weled mewn cymaint brys erioed na fyddai ganddo air i'w ddweud wrth bawb a gyfarfyddai, ac ystori ddoniol, yn ei ddull arbennig ci hun fynychaf, yn enwedig wrth yr hen ardalyddion, o ba ddosbarth bynnag y byddent.'

Carmel, Sirhywi – capel Cynddelw o 1847 tan 1862
(Cyngor Blaenau Gwent)

Un arall o weinidogion llengar Tredegar oedd Ieuan Gwynedd (Evan Jones). Cafodd ei eni ger Dolgellau ym 1820 a bu'n weinidog gyda'r Annibynwyr yng nghapel Saron yn Nhredegar rhwng 1845 ac 1847. Bu'n ffyrnig ei amddiffyniad o enw da'r Cymry yn erbyn enllib y Llyfrau Gleision ym 1847. Cefnogodd achos dirwest ac Anghydffurfiaeth yn erbyn rhagfarn a dirmyg y Comisiynwyr

Ieuan Gwynedd
(Cyngor Blaenau Gwent)

mewn cyfres o draethodau manwl a huawdl yn y Gymraeg a'r iaith fain. Bu'n arbennig o daer yn ei ymdrech i amddiffyn menywod Cymru rhag y cyhuddiadau milain o fryntni corfforol a llacrwydd moesol a gyhoeddwyd yn yr adroddiadau melltigedig. O dan nawdd Arglwyddes Llanofer, gweithiodd fel golygydd cylchgrawn *Y Gymraes* o 1849 i 1851. Cystadlai'n weddol lwyddiannus fel bardd ar y mesurau rhydd a chyhoeddwyd cyfrol o'i waith ym 1876. Ni fu ei iechyd erioed yn dda a bu farw'n 32 oedd ym 1852.

Yng Nglyn Ebwy y gwasanaethodd John Jones (Ioan Emlyn, 1818-73). Fe'i ganed yng Nghastell Newydd Emlyn ond daeth yn brentis i oriadurwr yng Nghrug Hywel. Yn ystod ei amser yno, ymunodd â Chymreigyddion y Fenni a Llangynidr. Ni wyddys i sicrwydd pryd yn gymwys y dechreuodd bregethu ond gwasanaethodd fel gweinidog y Bedyddwyr yng nghapel Nebo yng Nglyn Ebwy rhwng 1853 a 1861. Aeth wedyn i wasanaethu yng Nghaerdydd, Merthyr a Llandudno cyn dychwelyd i Lyn Ebwy ar ddiwedd ei yrfa. Bu farw yno ym 1873 a chodwyd cofeb deilwng iawn iddo ger Nebo – sydd i'w gweld o hyd gyda phlac newydd arni.

Roedd Ioan Emlyn yn ŵr amryddawn ac yn llenor hynod doreithiog. Bu'n olygydd *Y Bedyddiwr a Seren Cymru* ar wahanol adegau, cyhoeddodd argraffiad llawnach a diwygiedig o *Hanes Prydain Fawr* Titus Lewis. Cyhoeddodd hefyd *Tiriad y Ffrancod ym Mhencaer* (1856), *Gramadeg Cerddorol* (1860) a nifer o lyfrau eraill. Ym 1863, cafodd radd LL.D er anrhydedd gan Brifysgol Glasgow.

Roedd Ioan hefyd yn fardd o gryn fri yn ei ddydd. Enillodd gadair Eisteddfod Dinbych ym 1860 – yr eisteddfod bwysig honno lle penderfynwyd cynnal Eisteddfod Genedlaethol o'r flwyddyn ganlynol ymlaen. Enillodd hefyd gadair un o eisteddfodau taleithiol Môn ym 1871. Ym 1871 cyhoeddodd gyfrol o awdlau ond mae'n fwy enwog erbyn hyn fel awdur y gerdd 'Bedd y Dyn Tylawd':

Is yr ywen ddu, ganghennog
Twmpath gwyrddlas gwyd ei ben,
Fel i dderbyn o goronog
Addurniadau gwlith y nen:
Llawer troed yn anystyriol
Yn ei fathru'n fynych gawd,
Gan ysigo'i laswellt siriol,
Dyna fedd y dyn tylawd.

Swyddwr cyflog gweithdy'r undeb
A'i hebryngodd ef i'w fedd:
Wrth droi'r briddell ar ei wyneb
Nid oedd deigryn ar un wedd:

'Rol hir frwydro a thrafferthion,
Daeth i ben ei ingol rawd:
Noddfa dawel rhag anghenion
Ydyw bedd y dyn tylawd.

Mae'r garreg arw a'r ddwy lythyren
Dorrodd rhyw anghelfydd law,
Gyd-chwaraeai ag e'n fachgen,
Wedi hollti'n ddwy gerllaw:
A phan ddelo Sul y Blodau
Nid oes yno gâr na brawd
Yn rhoi gwyrdd-ddail a phwysïau
Ar lwm fedd y dyn tylawd.

Crwys
(Amgueddfa Bryn-mawr)

Mae Bryn-mawr yn gallu hawlio lle arbennig ym mywyd a gyrfa un o feirdd enwocaf yr ugeinfed ganrif, sef William Williams, Crwys (1875-1968). Yn rhyfedd ddigon, ganed y bardd yn y Cwm Clydach 'arall', sef yng Nghraig-cefn-parc, Morgannwg. Ym 1898, cafodd ei ordcinio'n weinidog yr annibynwyr yng Nghapel Rehoboth, Brynmawr, a oedd yr adeg honno yn un o eglwysi Cymraeg Cyfundeb Mynwy. Gwasanaethodd yno tan 1914.

Yn ogystal â chwarae rhan flaenllaw ym mywyd crefyddol a chymdeithasol Bryn-mawr, bu Crwys yn eithriadol o weithgar yn yr Eisteddfod Genedlaethol – a hynny ar hyd ei oes. Yn ystod ei amser ym Mryn-mawr, enillodd y goron ddwywaith – ym 1910 ar y testun 'Ednyfed Fychan' ac eto ym 1911 gyda'i bryddest 'Gwerin Cymru' – y fwyaf adnabyddus o'i gerddi eisteddfodol:

Hil y gewynnau tynion,
Hi biau'r wenwlad a'i bri,
Gwerin y graith, bonedd pob gwaith,
A pherthyn i honno 'rwyf fi.

Llys a chastell nid oes iddi,
Plas na maenor chwaith yn awr,
Ond mae'r heniaith yn ymloywi
Ar wefusau'r werin fawr.

Rehoboth, Bryn-mawr – capel Crwys o 1898 tan 1914 (Amgueddfa Bryn-mawr)

Enillodd Crwys y goron am y drydedd waith ym 1919 ar y testun 'Morgan Llwyd o Wynedd' a gwasanaethodd fel yr Archdderwydd yn y cyfnod anodd rhwng 1938 a 1947. Yr oedd hefyd yn un o feirdd mwyaf cynhyrchiol a phoblogaidd ei gyfnod. Cyhoeddodd *Cerddi Crwys* (1920; cafwyd pum arg.), *Cerddi Newydd Crwys* (1924; tri arg.), *Trydydd Cerddi Crwys* (1935), *Cerddi Crwys, y Pedwerydd Llyfr* (1944), a dau ddetholiad o'i gerddi (1953 ac 1956). Mae'n cael ei gofio'n bennaf am delynegion fel 'Dysgub y Dail', 'Melin Trefin' ac 'Y Border Bach'. Cyhoeddodd hefyd *A Brief History of Rehoboth Congregational Church, Bryn-mawr, from 1643 to 1927* ym 1927 a dwy gyfrol o atgofion, *Mynd a Dod* (1941) a *Pedair Pennod* (1950).

Bu Bryn-mawr a Rehoboth wastad yn agos at ei galon a hoffwn feddwl mai Bryn-mawr yw'r dref a gryna i'w sail yn 'Dysgub y Dail'! Dyma'r soned hynod deimladwy a luniodd i Rehoboth ar ymadael â'r dref ym mis Rhagfyr 1914:

Mae'r goleuadau'n diffodd, un ac un,
A'r dorf yn cyrchu'r hen anheddau clyd,
A minnau'n gaeth i deml a gerais cyd
Mewn rhyw ddychrynllyd oedfa wrthyf f'hun,
Yna, i'r gwanllyd oleu ar drefnus lun,
Y rhai a briddais gynt yn welw eu pryd
A ddônt i'w seddau'n ôl o arall fyd,
Gan gludo bendith plant y peraidd hun;
Ac wele ford y Cymun eto'n wyn,
Ac atswn moliant melys fel hen win;
Pa fodd, Rehoboth, y'th adawaf di

Gan ddatrys rhwyd y mwyn atgofion hyn?
Tangnefedd, fangre hoff; hyd henoed crin
Ni ddiffydd d'oleu ar fy llwybrau i.

Mor drist felly fod Rehoboth wedi'i ddymchwel a'r safle bellach heb unrhyw ôl ohono na chofeb i'r hen weithgaredd gwâr!

Er mai i gyfnod y Chwyldro Diwydiannol y perthyn y rhan fwyaf o'r baledi lleol sydd wedi goroesi (gweler isod), mae traddodiad baledol Blaenau Gwent yn hŷn o lawer na hynny. Mae'r faled leol gynharaf sydd gennym ar glawr yn dyddio'n ôl i 1701 a hon oedd y faled ffolio Gymraeg gyntaf i'w hargraffu. Dylid cofio hefyd na chyhoeddwyd y faled Gymraeg gyntaf erioed ond ym 1699. Teitl y gerdd yw 'Carol o goffadwriaeth am ryfeddol Ryddhad Dassy Harry, o blwyf Aberystruth yn Sir Fynwy, wrth esgor ar blentyn drwy ei Bogel, ar yr 28 dydd o fis Mawrth yn y Flwyddyn o oed Jesu 1701'. Y bardd oedd Thomas Miles, iwmon gweddol gefnog o'r Blaenau a chyhoeddwyd ei waith gan Thomas Jones, Amwythig. Dyma ran ohoni:

Ar ei bogel fe gyfodeu,
Godiad uchel yn diammeu,
Pan welodd Duw y pryd penodol,
Fe'u agorodd yn rhyfeddol.

Yn ôl iddi agor gronyn,
Fe glywe'r fam ryw bart o'r plentyn,
Hi ddwede gwnaed Duw fynno'i hunan,
Fe ddaw'r plentyn ffordd hyn allan.

I'r Bogel y daeth e'n ddiammeu,
Heb help neb, ond Duw a hitheu,
Nid oedd un Fydweiff, na dim gwragedd,
Ond ei gŵr a hithe eu deuwedd.

Calonnog iawn o wraig oedd honno
'Dderbynnie'i phlentyn rhwng ei dwylo,
Hi ddwede wrth ei gŵr yn groyw
Hwre Abel, cladd y marw.

Adwaenid Dassy Harry hefyd fel Dassy Abel Walter ac rydym wedi cwrdd â hi'n barod yn y pennod ar Bendith eu Mamau. Mae'n amlwg mai tipyn o gymeriad oedd hi a bu'n byw tan 1738. Fe safai Cae Dassy ger Ty'n y Llwyn yng Nglyn Ebwy am ddau gan mlynedd cyn cael ei lyncu gan y Gwaith Dur yn 1937.

Yn ddiweddarach, tra roedd tref Glyn Ebwy (neu Pen y Cae fel y'i gelwid gynt) yn datblygu'n dref fawr, roedd telynorion a baledwyr i'w gweld yn aml yn nhafarndai'r dref ar nos Sadwrn. Ymhlith y baledwyr hyn roedd William Bowen. Ym 1840, roedd yn berchen mulod ac yn cario glo yn y dref. Ef hefyd oedd y codwr canu yng nghapel y Methodistiaid. Aeth yn ôl yn y byd a bu'n faledwr am weddill ei oes. Dyma ran o'i faled 'Y Cantwr Dall':

> Bûm yn gweithio ym Morgannwg
> Flwyddi meithion heb llesgáu,
> Yng Nghyfarthfa ac yn Nowlais,
> Ac yng ngweithiau Pen-y-cae;
> Yno'r tân a dasgai i'm llygaid,
> Analluog es at waith,
> Ac yn awr 'rwy'n gorfod crwydro
> Fel pererin ar ei daith.
>
> Pen-y-cae! mae d'enw'n annwyl,
> Tair ar ddeg ar hugain mlwydd
> Y bûm yno wrth fy ngorchwyl,
> Ac yn ddedwydd yn fy swydd,
> 'Nillais yno aur ac arian,
> Colli 'ngolwg yn 'run lle,
> Eto'th garu wnaf yn wresog
> Tra bwy'n teithio is y ne'.

Wrth gofio pa mor beryglus oedd yr amodau gwaith yn y gweithfeydd newydd, nid oes rhyfedd bod llawer sôn gan y baledwyr am ddamweiniau erchyll a'r anafiadau tost a fu'n ganlyniad iddynt. Dyma ran o faled gan fardd o'r enw David White:

Yn Nant-y-glo a Dowlais
Y bûm am amser maith,
Dros wyth ag ugain blwyddyn
Yn dilyn wrth fy ngwaith,
Y dydd diwethaf yno
Daeth damwain drom imi,
Am hyn 'rwy'n methu cerdded,
Trwm iawn yw 'nghyflwr i.

Mae llawer iawn o fechgyn Cymru,
Fu'n annwyl iawn yn cael eu magu,
Dan y ddaear aent i weithio,
Esgyrn briw a gawsant yno;
Mae llawer iawn yn cael eu llosgi
Wrth ennill tamaid idd eu teulu,
Gwedi mynd i dragwyddoldeb
Heb feddwl dim am wir dduwioldeb.

Un arall o faledwyr Pen-y-cae oedd Huw Roberts, 'Pererin Môn'. Mae rhai'n mynnu mai 'Pererin Môn' oedd ei enw cywir ac yn ôl tystiolaeth rhai a'i clywodd yn canu, brodor o ardal Pen-y-cae oedd y bardd. Mae 14 o'i faledi ar gael a dwy ohonynt yn ymwneud â'r Gogledd, sef 'Llongddrylliad y Cyprian ym Mhorthdinllaen yn 1881' a 'Llofruddiaeth Dolgellau'. Ei gerdd enwocaf yw 'Yr Enwog Ddoctor Price' sy'n ymdrin â Dr William Price, Llantrisant, y derwydd ecsentrig a radical. Dyma'r teitl gwreiddiol – 'Cân newydd yn rhoddi hanes yr amgylchiad hynod a gymerodd le yn ddiweddar yn Llantrisant, pryd y darfu i'r enwog Ddr Price wneud ymdrech i gremato neu gorfflosgi gweddillion ei blentyn, yn lle eu claddu. Darfu i'r fflamiau dynnu sylw ei gymdogion, a daeth nifer ohonynt i'r lle yn fuan a rhwystrasant y Dr i gario allan ei amcanion.'

Holl drigolion siroedd Cymru,
Dewch, gwrandewch ar newydd ganu
Am ryw drwstan dro cynddeiriog
A wnaeth Doctor o Forgannwg.

Doctor Price garia'r dydd,
Doctor Price garia'r dydd,
Er bod llawer yn ei erbyn
Y mae'r Doctor eto'n rhydd.

Casglu wnaeth i ben y mynydd
Tar ac olew, a phob tanwydd;
Yn y fflamiau 'roed y baban,
Idd ei losgi mewn hen gasgan.

Miloedd lawer gasglent yno –
Pawb mewn bwriad idd ei rwystro,
Ac er bod ganddo arfau saethu,
Awd â'r Doctor i'r gagendy.

Baledwr lleol arall oedd J.W. Jones, Nant-y-glo. Mae rhyw 17 o'i
gerddi wedi'u cadw ar glawr ac fe wyddys iddo gydweithio lawer yn
ardal Merthyr Tudful â baledwr cynhyrchiol arall, sef Ieuan o Eifion.
Canodd glodydd William Crawshay a'i frodyr, meistri haearn
Merthyr ond y fwyaf adnabyddus o faledi J.W. yw honno 'I Ferched
Castell Nedd. Dyma ran ohoni:

Ar ddiwrnod pan yn rhodio, bydd cofio tra bwy' byw,
Gerllaw i Abertawe, tre hardd yr olwg yw,
Ces yno destun canu, a synnu hyd fy medd,
Wrth weled merched tirion, hyfrydlon Castell-nedd.

Maent yn siriol, maent yn hawddgar,
Maent yn lliwgar iawn ei gwedd,
'Does ferched yn y deyrnas
Fel merched Castell-nedd.

Rwy'n cofio am yr amser gadewais Nant-y-glo,
I Sgotland ac Iwerddon i fyned ar fy nhro,
Ond pan ddes 'nôl i Gymru sirioli wnaeth fy ngwedd,
Pan welais ferched hawddgar a lliwgar Castell-nedd.

Gwaith Haearn Troedrhiw'rclawdd oddeutu 1900
(Archif Gwaith Dur Glyn Ebwy)

Mi welais ferched Merthyr, Hirwaun ac Aberdâr,
A merched Aberteifi, lodesi coch Sir Ga'r,
A merched mawr Sir Benfro, y rhai sy'n llon eu gwedd,
Nid ydynt i'w cymharu â merched Castell-nedd.

Soniwyd yn barod am David Davies (Dai'r Cantwr) a'i helyntion yng
Ngwrthryfel y Siartwyr a chyda Merched Rcbeca. Mae o leiaf dri
argraffiad o'i *Cân Hiraethlon* ar glawr a phedwaredd fersiwn mewn
llawysgrif a'i theitl cyflawn yw *Cân Hiraethlon David Davies pan
oedd yn garcharor yng Nghaerfyrddin am y terfysg yn amser
Beca.* Honnid ar y pryd iddo anfon y cerddi o'i alltudiaeth yn
Awstralia. Ei gerdd enwog arall oedd 'Y Negro Du'. Dyma ran o'i 'Cân
Hiraethlon':

Plas Tre-gof angof fydd,
Cystudd prudd i Ddafydd ddaeth,
Calon lwys droir yn llaith
Wrth weld y fordaith bell.
Plwyf Saint Athan, bras fan bro
A Chadoxton, lle treuliais dro,

A Phen-y-bont ar Ogwr,
Ffafwr Duw fo iddynt yn do.
Yn iach, Forgannwg wych,
Sŵn dy glych, henffych i'th deulu,
Dy fröydd a'th ddolydd glân,
Hafal fan i Eden fu;
Ffarwel Mynwy lon ei swyn,
O Droedrhiw'r Clawdd, yn hawdd caf gŵyn;
Tredegar a'i thrigolion,
Hylon fan, bu i mi'n fwyn.

Canwyd amryw byd o faledi'n adlewyrchu bywyd y 'gwitha' newydd a dyma bennill o 'Molawd y Metel Haearn' gan Owen Griffith (Ywain Meirion):

Ha'rn ydoedd dechrau gweithiau Merthyr, clywch frodyr llon difreg,
Mae'n brif gynhaliaeth i'r wladwriaeth trwy bob cymdogaeth deg,
O Gastell-nedd i blwyf Llanelli, a'r Llwyni daeth gwellhad,
A gwaith i filoedd o drigolion, rhai glewion o bob gwlad;
Gwnaed pob canál yn wir, sy'n enwog trwy'r tair sir,
Morgannwg, Mynwy, a Brycheiniog, godidog ŷnt ar dir,
Y gweithiau haearn oedd dechreuad eu codiad heb nacáu
A'r holl Railroads a'r Engines hefyd o hyd sy'n amlhau;
Rhof drwy Dredegar dro, gwaith Cendl, a Nant-y-glo,
Blaenafon hefyd, Abersychan, Victoria'n fwynlan fo,
A Phen-y-cae, Sirhywi a Rymni, a Dowlais heini ar hynt,
Cyfarthfa, Plymouth, a Phendarren, boed gwên yr amser gynt.

Canodd Levi Gibbon (1814-1869) foliant 'Am y Cyfnewidiad a gymer le ar Drigolion y Byd trwy waith y *Railroad* Newydd':

O *London town* i *Newport* wiw,
Bydd sŵn cerbydau hardd eu lliw!
Y Fenni fwyn a Nant-y-glo
Fydd yn cyd-weiddi *Tallyho*!

Bydd Bechgyn Rhymni yn y man,
A merched Dowlais *every one*,
Yn ffoi i *London* fawr a mân
Mewn cerbyd gyda'r *engine* dân.

Ar ddiwedd un o'i faledi adeg y colera yn y 1830au, ychwanegodd Ywain Meirion air o gyngor ynghylch y clefyd:

'Y Cyngor canlynol sydd yn gwellhau agos bawb a darewir â'r Cholera Morbus os ei cymerir cyn gynted ag y teimlent y clwy ym ymaflyd ynddynt, sef un owns o gastoroil, ugain dropun o laudonum, a hanner gwydraid o frandi Ffrengig. Curwch hwynt ynghyd gyda fforch ac yfwch i fyny ac ewch i'r gwely.'

Y mwyaf brwd o'r rhai a fu'n argraffu a chyhoeddi baledi a cherddi eraill yn lleol oedd Brychan Bach Tredegar, sef John Davies (1784?-1864). Yn enedigol o Lanwrthwl, Sir Frycheiniog, symudodd i Dredegar i weithio mewn glofa ond wedyn fe ddechreuodd fusnes fel gwerthwr llyfrau a chyhoeddwr. Golygodd bum blodeugerdd o waith ei gyfoedion, sef *Blwch y Cantorion* (1816), *Llais Awen Gwent a Morgannwg* (1824), *Y Gog* (1825), *Y Llinos* (1827) ac *Y Fwyalchen* (1835). Roedd Brychan ymhlith y rhai a urddwyd yn aelodau Gorsedd Beirdd Ynys Prydain gan Iolo Morganwg ei hun yng ngardd yr *Ivy Bush* yng Nghaerfyrddin ym 1819. Mae gan Myfyr Wyn bethau difyr iawn i'w dweud amdano:

'Nid oes gennyf gof am Brychan fel person, ond clywais yr hen bobl yn sôn llawer amdano, ac ystyrid ef yn allu llenyddol yn ei dymor . . . Yr oedd mewn cryn ffafr gan Arglwyddes Llanofer, fel eraill o feirdd Gwent yr adeg honno, ac yr wyf braidd yn credu iddo fod yn ysgrifennydd iddi, neu yn dal rhyw swydd berthynol i'w phlas. Cof gennyf glywed ei fod yn gwahodd Cynddelw i dalu ymweliad ag ef yn ei hen ddyddiau, ac wrth gyfarwyddo pa le i ddod o hyd iddo, dywedai ei fod yn trigo mewn bwthyn bychan heb neb ond efe a'r Bod Mawr, a phan aeth bardd yr "Atgyfodiad" i ymweled ag ef, methodd weled neb ond Brychan a'r gath, ac ymholai'n brysur â'r hen bererin ai'r gath oedd y Bod Mawr y soniai amdano.'

Dylid esbonio mai 'difrifol' neu 'pryderus' yw ystyr 'prysur' yn y Wenhwyseg. Yn ei ragair i'r Gog, dyma a ddywedodd Brychan ynghylch ei fwriad wrth gyhoeddi'r gwaith:

'Y mae'n amlwg ichwi gyfeillion nad oes un math o gyhoeddiad yn rhagori ar ganiadau diddanus i ddenu bryd yr ieuenctid i ddysgu darllen y Gymraeg yn hyrwydd a deallus . . .'

Ymhlith y cerddi a gyhoeddwyd yn *Y Gog* roedd amryw'n adlewyrchu'r datblygiadau diwydiannol diweddaraf, fel 'Molawd i Mr Richards, y Peiriannydd celfydd a osodes i fyny y forthwylfa hynod Bute yng Nghwm Rhymni yn y flwyddyn 1837' a 'Penillion ar sylfaenaid Gwaith Troedrhiw'r Clawdd, Glyn Ebwy' sef y *'Victoria Iron Works'* a agorwyd hefyd ym 1837. Dyma'r Troedrhiw'r Clawdd yn sonia Dai'r Cantwr amdano yn ei 'Cân Hiraethlon' a dyma hefyd safle Gŵyl Erddi Genedlaethol Glyn Ebwy ym 1992.

Roedd Brychan yn un o nythaid o feirdd lleol a ffynnai yn y 'Gwitha' yn hanner cyntaf y bedwaredd ganrif ar bymtheg. Un o'i gyfoedion yn Nhredegar oedd David Morris (Eiddil Gwent) ac unwaith eto mae Myfyr Wyn ag atgofion byw iawn ohono:

'Dyn bychan crwca o gorffolaeth ydoedd, a bu fyw yn weddw hyd ei fedd, a diweddodd ei yrfa ddaearol yn Nhloty Tredegar. Byddwn yn arfer talu ymweliad ag ef yno ar adegau, a byddai yn falch iawn o'm gweld. Bu'r cadeirfardd tyner Ceulanydd gyda mi yno un tro, a chafodd Eiddil a'r hen bobl eraill oedd gydag ef lawer o fwynhad wrth wrando Ceulanydd yn canu "Hen ffon fy Nain", "Y Prentis Plwy", etc. Bûm am gryn amser heb ymweled ag ef un adeg, ac anfonodd nodyn imi a'r pennill canlynol ynddo, yr hwn sydd gennyf yn awr yn ei lawysgrif:

Tyrd Myfyr Wyn loniach, ŵr iawn mewn cyfrinach,
Mi wn na fu'th ddewrach, na'th lewach ar lawr ;

Ffowndri Gwaith Haearn Troedrhiw'rclawdd oddeutu 1900
(Archif Gwaith Dur Glyn Ebwy)

I weld hen fardd penllwyd, cyn elo'r un briglwyd
Ar garllwyd o'r aelwyd i'r elawr.

Cyfansoddodd Eiddil Gwent lawer yn ei ddydd, yn gaeth a
rhydd, a chenir rhai o'i ganeuon hyd y dydd hwn, megis 'Can
mlynedd i 'nawr' a'r gân serch gywrain sy'n dechrau fel y canlyn:

Eirian ferch orau'n fyw,
Gwêl fy llun, gwael fy lliw,
Gwna fi'n llon, feinir gron,
Lonwen ferch lanha'n fyw . . .

Enillodd am draethawd ar 'Hanes Tredegar' yn ei hen ddyddiau
(ym 1862), a chyhoeddwyd ef yn llyfryn. Cafodd ei urddo yn
un o hen Eisteddfodau Aberhonddu yn 1819, os wyf yn cofio'n
iawn, ac yr oedd Iolo Morganwg yn un o swyddogion yr Orsedd
ar y pryd. Difyr oedd ei glywed yn adrodd yr helynt . . . '

Ym 1822 y cynhaliwyd yr eisteddfod yn Aberhonddu y cyfeirir ati. Cyhoeddwyd ysgrif Eiddil Gwent ym 1868 o dan y teitl ysblennydd *Hanes Tredegar o Ddechreuad y Gwaith Haiarn hyd yr Amser Presennol, Buddugol yn Eisteddfod Cymrodorion Tredegar am y flwyddyn 1862 at yr hyn yr ychwanegwyd Braslun o Hanes Pontgwaithyrhaiarn.* Mae'n cynnwys llawer o ddeunydd difyr a phwysig am hanes cynnar y dref ac fe ddyfynnir yn helaeth ohono yn y bennod ar 'Y Gwitha'.

Bardd lleol arall oedd Joseph Bevan (Gwentydd), neu fel yr adnabyddid ef gan y werinos yn gyffredin, 'Joe Llangynid' am mai yn Llangynidr, pentref bychan gwledig yn Sir Frycheiniog, y ganed ef. Treuliodd ddeugain mlynedd yn Sirhywi yn gweithio fel gof yn efail y gwaith haearn. Roedd Myfyr Wyn yn un o'i brentisiaid ac mae'n amlwg ei fod yn hoff iawn o'r hen fardd:

'Bûm yn gynorthwywr iddo fel "traw-wr", pan oeddwn yn hogyn, am flynyddoedd, a gweithiais yn yr un efail ag ef am flynyddoedd maith wedi hynny, a thebyg nad oes neb yn fyw a adwaenai'r hen Joe, druan, gystal â mi, gan fod y rhan fwyaf o'r rhai a gydweithiai â mi wedi eu galw i blith y mwyafrif mawr, a'r hen efail, lle yr oedd rhyw ddwsin o eingionau yn cydatsain, yn awr mor ddistaw â'r bedd . . .'

'Fel bardd a llenor ni ellid ei restru yn uchel . . . Er nad oes gennyf yn fy meddiant enghreifftiau o'i gyfansoddiadau barddonol, y mae gennyf gof fod rhai ohonynt yn dda iawn, yn enwedig 'Cân i'r Tloty', a buasai'n dda gennyf gael golwg ar honno yn awr . . . llusgo'r gynghanedd wrth ei chyrn fyddai fynychaf, er iddo gyfansoddi llawer o englynion yn ei ddydd . . .'

'Do, cawsom lawer o ddifyrrwch direidus gyda'r hen Gwentydd, druan. Yr oeddem ni ein dau [sef Myfyr Wyn a Gwentwyson] yn ein nwyfiant, ac wedi dechrau cael blas ar dinc y cynganeddion, ond ni fu yr hen fardd erioed yn ymarferol fuan yn hualau Dafydd ab Edmwnd, er ei fod yn eu deall. Wrth gyfansoddi englyn, byddai'n rhaid iddo gael y pwyntil a'r llech, gan fod ei gof yn pallu yn herwydd henaint, a rhaid fyddai iddo hefyd gyfrif y sillafau ar bennau ei fysedd, ac

Gwaith Haearn Sirhywi yn nyddiau Myfyr Wyn
(Michael Blackmore)

atgyweirio llinellau amryw weithiau drosodd yn herwydd llythyren "bengoll", neu "grych a llyfn", a'r dirifedi frychau sydd yn bosibl syrthio iddynt yn yr ymgyrchoedd cynganeddol. Byddai Gwentwyson a minnau y pryd hwnnw yn byrlymu llinellau yn ddifater mewn synnwyr ond yn gywir mewn cynghanedd, a gyrrai hynny'r hen frawd o'i gof – a dyna oedd yn ein bodloni, ac at hynny y byddem yn cynnig fynychaf. Gallai ein bod yn pechu wrth hynny, ond hyderaf nad yn anfaddeuol, gan na feddai neb fwy o barch i'r hen Gwentydd na ni ein dau, ac ni chaniataem i neb arall arddangos dirmyg tuag ato heb gymryd ei blaid.'

Gwentwyson (Ezeciel Davies) oedd ffrind gorau ac agosaf Myfyr Wyn a bu'r ddau'n brentisiaid ar yr un pryd yn yr efail gyda Gwentydd. Mewn cofiant am Gwentwyson gan y Parchedig T. Rees, gweinidog Ebeneser yn Sirhywi, ceir darlun o Myfyr Wyn ac yntau'n ddau lanc ifanc yn dysgu barddoni yn efail y gwaith haearn. Dyna'r fath o bobl oedd yn byw yn Sirhywi ar y pryd!

Gwaith haearn Sirhywi heddiw
(Frank Olding)

'Yr alwedigaeth o of a ddewisodd ac a feistrolodd. Dechreuodd yn drawr yn Efail Gwaith Sirhywi, lle y bu am flynyddoedd wedi hynny yn feistr gofiaid. Yn yr efail hon, yn sŵn morthwylion y dechreuodd farddoni. Trawai ef i of o'r enw Joseph Bevan, yr hwn a ystyrid gan drigolion yr ardal yn gryn fardd, ac a adnabyddid wrth y ffugenw Gwentydd. Tebygol mai hwnnw a ddihunodd anian farddonol Gwentwyson, ynghyd ag eiddo Myfyr Wyn, yr hwn oedd yntau hefyd yn llanc tua'r un oed . . . yn yr un efail. Hoff oedd gan Gwentwyson gyfeirio at yr adeg ddedwydd honno ar ei fywyd, fel yr oedd Myfyr ac yntau yn cwestiyno ac yn poeni'r hen Gwentydd ynghylch cyfrinion yr odlau a'r cynganeddion, ac fel y byddai'r hen fardd weithiau yn colli ei dymer oherwydd ymhoniadau'r beirdd ieuainc a gyflym ymgodai at uchder ei orsedd. Yr oedd pob sheet haearn yng nghymdogaeth yr efail yn wyn o linellau cywyddau y byddai Myfyr ac yntau wedi eu gosod at ei gilydd cydrhyngddynt; ac nid oedd diben ar ddefnyddio sialc!'

80

Gwaith Haearn Nant-y-glo ym 1829
(Amgueddfa Genedlaethol Cymru)

Y 'Gwitha'

Yng ngwaith Edmund Jones, cawn ddarlun o gymdeithas wledig yn byw yn eu pentrefi a'u ffermydd angysbell yma ym mryniau Blaenau Gwent. Yn ei lyfr enwog *An Historical Tour in Monmouthshire* a gyhoeddwyd ym 1801, mae Archddeacon William Coxe yn disgrifio dyffryn Ebwy Fach fel hyn:

> ' . . . thickly clothed with underwood, and occasionally tufted with hanging groves of oak, beech, ash and alder; the wild raspberry twining in the thickets, and the ground overspread with the wood strawberry. The rapid torrent beneath was sometimes half obscured by trees, and sometimes re-appeared to view, as it bounded over its rocky channel, illumined by the rays of a mid-day sun.'

Cawn yr un ddarlun yn yr hen dribannau hefyd:

> Mi dreuliais lawer diwrnod
> Ar lan Sirhywi wiwglod

Ffwrnais golosg o'r 17eg ganrif – byddai Pont Gwaith yr Haearn wedi edrych yn debyg iawn (Michael Blackmore)

I dynnu cnau ar frigau'r fro,
A thwyllo'r glân frithyllod.

Ond hyd yn oed mor gynnar â 1779, roedd y pyllau glo a'r gweithiau haearn yn dechrau tyfu ac eisoes yn cael effaith andwyol ar yr amylchedd. Dyma a ddywaid Edmund Jones am gyflwr Afon Ebwy Fawr:

'yn uwch i'r lan, nid yw'r dŵr yn glir iawn, gan ei fod yn aml yn cael ei dryblu gan ddyfroedd y Powndiau sy'n sgwrio'r gweithiau Glo; sydd hefyd yn anghyfeillgar i'r Pysgod ac yn eu gwneud yn brin.'

Mae'n sicr bod ffwrneisi haearn bychain wedi bodoli yn yr ardal ers yr 16eg ganrif. Defnyddient siercols fel tanwydd gan nad oedd neb eto wedi dyfeisio ffordd o ddefnyddio glo heb ddifetha'r haearn. Un o'r ffwrneisi cynnar hyn oedd Pont Gwaith yr Haearn sy'n sefyll rhyw ddwy filltir i'r de o Dredegar. Cafodd ei sefydlu'n wreiddiol yn amser Elisabeth y Gyntaf ac wedyn cafodd ei hail-agor yn gynnar yn y 18fed ganrif. Yn ei draethawd ar hanes Tredegar a gyhoeddwyd ym 1868, mae Eiddil Gwent yn rhoi gwybodaeth ddifyr iawn am y lle:

'Yn ystod yr haner can' mlynedd a dreuliais yn y lle hwn, sef Tredegar, diamau imi fod ddegau o weithiau ym Mhont-gwaith-yr-haiarn, a phob tro yn holi y trigolion o berthynas i Bont-gwaith-yr-haiarn; ond byddai yr un peth imi ofyn i ddyn y lleuad a gofyn iddynt hwy, canys yr ateb oedd, "Ni wyddom ni ddim".'

Tua dwy flynedd ar bymtheg ar ugain yn ôl [1825], aethym i le a elwir Llaniddel i weithio wrth fy ngelfyddyd a phwy a gyfarfyddais yno ond Mr Rees Davies, mab Mr Rees Davies, yr hwn a adeiladodd ffwrnesi Tredegar . . . dywedodd wrthyf ei fod, o'r diwedd, wedi cael allan hanes Pont-gwaith-yr-haiarn i'r manylion. 'Gyda phwy Syr,' atebais inau. 'Gyda Mrs Thomas – hen foneddiges ag sydd wedi cael ei chaethiwo gan henaint rhwng echwynion ei gwely . . . ' Parodd y newydd hwn rhyw anesmwythder yn fy meddwl – ac anesmwyth y bu'm hefyd, nes imi weithio'm ffordd i gael ychydig o ymgom a'r hen wraig barchus hon.

Yr Ymddiddan

Wedi talu moes-gyfarchiad i'r hen foneddiges, dywedais wrthi –

'Mae yn debyg Mrs Thomas eich bod chwi yn cofio ffwrnes Pont-gwaith-yr-hairarn yn gweithio?'

'Ydwyf, 'machgen i – yno oedd fy nhad yn gweithio pan ganwyd fi – yno oedd tylwyth fy ngwr wedi hyny yn gweithio.'

'Pa le yr oeddynt yn cael glo, Mrs Thomas?'

'Nid glo oeddynt yn ddefnyddio y pryd hyny, ond cols coed; yr oedd y llywodraeth yn erbyn llosgi glo y pryd hyny, am ei fod, meddent hwy, yn gwenwyno yr awyr.'

'Beth oedd ganddynt yn chwythu'r tân y pryd hyny Mrs Thomas?'

'O, meginau.'

'A fu eich tylwyth yn byw yn Mhont-gwaith-yr-haiarn?'

'Naddo; ond yr oeddynt yn lletya yno, ac yn cyrchu tre bob nos Sadwrn, i Dwyn-yr-odyn, Merthyr; a phan ddelai dydd Llun, cymerent lwybr llygad oddiyno i Bont-gwaith-yr-haiarn.'

'A wyddoch chwi Mrs Thomas ym mha le yr oeddynt yn cael mwn tuag at wneyd haiarn?'

'Yn nghymydogaeth y Bont yr oeddynt yn ei gael, ond nis gwn ym mha le yno.'

'Pa un a'i Cymry neu ynte Seison oedd y meistri?'

'Cymry meddent hwy oeddynt, ond Cymry o Ffrainc oeddynt; dau foneddwr heb eu bath oeddynt hefyd – coffa da am danynt.'

'Mae yn wir Mrs Thomas fod cenedl o Gymry yn gwladychu yn Ffrainc er ys deuddeg cant o flynyddau, y rhai a alwn ni yn Llydawiaid.'

'Wel dyna nhwy.'

'Wel, beth a ddaeth o'r boneddigion hyn?'

'Wel, aethant i dir eu gwlad, sef Ffrainc, ond er hyny, buom yn cael llythyrau oddiwrthynt am rai blynyddau, canys yr oedd fy nylwyth i – sef y Thomasiaid, Twynyrodyn, Merthyr, yn ddynon cymeradwy iawn yn eu golwg – a'u meibion hwy a ddenasant John, fy wyr, o Bontmeistr i Ffrainc i gadw gwaith haiarn – a dyna lle mae ef y dydd heddyw.'

'Beth oedd eich oedran y pryd hyny?'

'Wel, gallwn fod o ddeg i ddeuddeg mlwydd oed.'

'Beth yw eich oedran yn awr?'

'Wel, yr wyf yn bedwar ugain a phump.'

Y casgliad naturiol oddiwrth yr uchodion, yw, i'r Llydawiaid ddyfod drosodd i Gymru at eu cydgenedl, yn amser y rhyfel boeth oedd rhwng Lloegr, Ffrainc, a Spaen, yn nheyrnasiad Sior yr ail, ac iddynt, wedi'r heddwch a wnawd yn y flwyddyn 1748, yn nheyrnasiad yr un brenin fyned (o fewn i ddwy neu dair blynedd) yn ôl i Lydaw, yn Ffrainc. A chasgliad naturiol arall yw, iddynt adeiladu ffwrnes Pont-gwaith-yr-haiarn tua'r flwyddyn 1738 neu 1739.

'R hen ffwrnes gadarnwych ail huan oleuwych,
Amliwiaist yr entrych yn fynych gan fwg;
Er lles – trwy hanesion o lawr dy falurion,
Cawd dyfnion ddirgelion i'r olwg.'

Gyda darganfod sut i ddefnyddio glo fel tanwydd addas at gynhyrchu haearn, bu twf aruthrol yn y gweithfeydd a rhwng 1779 ac 1839, trawsffurfiwyd tirwedd, poblogaeth a ffordd o fyw Blaenau Gwent gan ddyfodiad y diwydiant haearn. Wedi'u denu gan bresenoldeb hwylus y prif ddefnyddiau crai, sef mwyn haearn, calchfaen a glo, sefydlwyd gweithiau haearn yn Sirhywi (1778), Cendl sef *Beaufort* yn Saesneg (1779), Pen y Cae (1791), Clydach (1793), Nant-y-glo (1794), Tredegar (1800), Glyn Nant-y-glo sef *Coalbrookvale* yn Saesneg (1818), y Blaenau (1823), Troed Rhiw'r Clawdd sef *Victoria* yn Saesneg (1836) a Chwm Celyn (1839).

Gwaith Haearn Tredegar oddeutu 1880
(Cyngor Blaenau Gwent)

Erbyn 1841, y rhan fechan hon o Gymru oedd yr ardal fwyaf diwydiannol yn y byd. O fewn ychydig flynyddoedd, tyrrodd pobl yn eu miloedd i gael gwaith yn y diwydiant newydd a thyfodd poblogaeth yr ardal yn aruthrol. Yn nyffryn Ebwy Fawr, er enghraifft, roedd rhyw 150 o bobl yn byw ym 1779. Gyda

Ffwrneisi Pen y Cae oddeutu 1900
(Archif Gwaith Dur Glyn Ebwy)

sefydlu'r gweithiau ym Mhen y Cae a Chendl, tyfodd y ffigwr hon i 1200 erbyn 1801 ac i ryw 9,000 erbyn 1841. Yn ystod yr un cyfnod, chwyddodd poblogaeth plwyf Bedwellte o 619 ym 1801 i 4,590 ym 1811 ac i 10,637 erbyn 1831. Tyfodd poblogaeth plwyf Aberystruth ar yr yn raddfa.

Yn ogystal â'r gweithiau haearn eu hunain, brithid y cymoedd hyn â gweithfeydd eraill i gyflenwi'r defnyddiau crai. Datblygodd chwareli calchfaen ar hyd ymyl ogleddol yr ardal yn Nhrefil (1794), Darren Disgwylfa (1816) a Llangatwg (1829). Darperid glo a mwyn haearn trwy wahanol ddulliau o fwyngloddiaeth. Yn y dyddiau cynnar, ac yn wir am ganrifoedd cyn y Chwyldro Diwydiannol, gellid

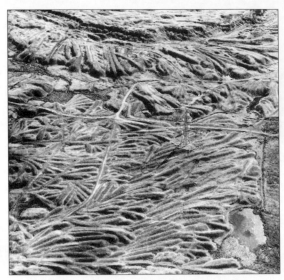

Patches Bryn-mawr o'r awyr – ar ben y llun gwelir olion rhas gyda phyllau clochffurf. Yn y canol mae tomennydd sbwriel o lefelau glo a mwyn (Hawlfraint y goron: Y Gomisiwn Frenhinol ar Henebion Cymru)

cloddio glo'n uniongyrchol o wyneb y ddaear, eto yn rhan ogleddol yr ardal. Yr enw ar y fath hon o weithio oedd 'patches' a byddai pob 'patch' yn cael ei enwi ar ôl y sawl a'i gweithiai – fel 'Patch Defi Siôn' ac yn y blaen. Yn nes ymlaen, aed ati i dyllu dipyn yn ddyfnach trwy gloddio pyllau bas o'r enw pyllau clochffurf *(bell pits)*. Defnyddid wints neu 'whim' a yrrid gan geffyl neu ferlen i ddod â'r glo i'r wyneb ac i fynd â dynion i lawr i waelod y pwll. Dyna darddiad enw'r pentref Winchestown ar gyrion Nant-y-glo. Roedd y pyllau hyn yn cael eu defnyddio yn amser Edmund Jones i ddiwallu anghenion beunyddiol y bobl leol am danwydd.

Ond, gyda thwf y diwydiant haearn, roedd angen cael hyd i fwy a mwy o lo a mwyn haearn a dyfeisiwyd ffyrdd eraill, mwy effeithlon, o'u cloddio. Lle roeddynt yn gorwedd yn weddol agos at yr wyneb, defnyddid dŵr i glirio'r pridd a'r cerrig oddi arnynt. Codid argae ar draws rhyw nant fechan nes bod 'pownd' digonol o ddŵr wedi cronni tu ôl iddo. Yna, byddai'r dŵr yn cael ei ryddhau i olchi'r tywarch, pridd a'r gro oddi ar y glo neu'r mwyn. Eid ati wedyn i gloddio'r glo. Yr enwau lleol ar y fath hon o fwyngloddio oedd 'rhas' neu 'sgwrfa' a dyma eto darddiad enwau pentrefi Rhasa ger Cendl a Scwrfa yn Sirhywi. I'r gogledd o Fryn-mawr, roedd pentref bychan o'r enw 'Rhes Fach' – sef ynganiad cynhenid 'rhas' yn y Wenhwyseg, wrth gwrs. Mae 'rhasio' a 'sgwrio' yn gadael olion archaeolegol trawiadol ar eu hôl – rhywbeth tebyg i 'canyon' troellog gyda nentig rhy fach o lawer iddi'n crwydro yn ôl ac ymlaen ar draws ei gwaelod. Gellir gweld llu o enghreifftiau yn y bryniau lleol.

Ffordd arall o gael hyd i'r glo neu'r mwyn oedd trwy yrru cloddfa ddrifft neu lefel ar wastad i ochr y cwm a dilyn yr haenen werthfawr i grombil y mynydd gan godi rhywfaint wrth yrru ymlaen. Roedd y dŵr sydd wastad yn cronni o dan ddaear wedyn yn medru draenio i faes yn syth heb angen peiriant i'w bwmpio. Dechreuid hefyd suddo pyllau dyfnach na'r pyllau clochffurf a dyfeisiwyd gwahanol fathau o gêr pen pwll i gael y glo allan a'r gweithwyr i lawr i siafft.

Dyma beth oedd gan Eiddil Gwent i'w ddweud ym 1862 am y mwynwyr a'r glowyr cynnar:

'Pan ddechreuwyd gwaith haiarn Tredegar, yr oeddynt yn codi mwn at y gwaith trwy glirio ymaith wyneb y tir i'r dyfnder ag oedd y mwn yn gorwedd yn y tir, yr hwn a alwent hwy patch. Nid oedd y cyfeir-ogofau, levels, yn bodoli yn yr amser hwn, oherwydd fod y mwn y pryd hyny i'w gael mor agos i wyneb y tir – ond ni fuwyd yn hir cyn gweled yr angenrheidrwydd o Gyfeirogofau, Levels.

Enwau y mwn a godir yn ngwaith Tredegar ydynt – y wythien goch, y wythien lâs, y wythien dlawd, pin Siencin, pin garw. Enwau'r glo – hen lo, gloyn tan, cilwych, llathed, trichwarter, gloyn llathed, gloyn mawr heled, bedelog, glo *engine*, glo bach, &c.'

Er mwyn dod â'r holl ddefnyddiau hyn i'r gweithiau haearn a hefyd i gludo'r haearn gorffenedig allan i'r cwsmeriaid, roedd angen datblygu system trafnidiaeth. Gosodwyd felly rwydwaith o reilffyrdd cynnar (a elwir fel arfer yn 'platffyrdd' gan archeolegwyr) gyda siwrneiau o dramiau'n cael eu llusgo ar hyd iddynt gan ferlod brodorol cryfion yr ardal. Nid oedd yn bosibl i'r merlod ymdopi â dringo na disgyn ar hyd llethrau – hyd yn oed llethrau gweddol mwyn – ac felly gosodwyd y platffyrdd i redeg mor wastad â phosibl ar hyd ochrau'r bryniau – ac fe'u gwelir hyd heddiw yn uchel uwchben trefi'r ardal. Roedd y platffyrdd ar ddau ddull – sef tramffordd a rheilffordd. Y prif wahaniaeth rhwng y ddwy dechneg oedd siâp a ffurf y rheiliau a'r olwynion. Ar reilffordd, roedd y

Tramffordd oddeutu 1820
(Michael Blackmore)

rheiliau'n solet ac yn sgwâr eu trawstoriad a'r olwynion â rhyw gantel neu 'flange' arnynt i'w cadw 'ar y rheiliau'. Ar dramffordd, roedd y cantel ar y rheilen ei hun (a ffurfiai felly siâp y llythyren 'L' mewn trawstoriad) ac roedd yr olwynion yn blaen. Yn y ddwy achos, roedd blociau mawr o garreg yn cael eu defnyddio fel sliperi, ond yn achos y rheilffyrdd, roedd angen pin mawr i hoelio'r rheilen wrth y slipar. Gwelir o hyd y blociau â thyllau ynddynt ar hyd hen lwybrau'r rheilffyrdd. Hyd at oddeutu 1800, y rheilffyrdd oedd yn fwyaf cyffredin ond wedyn trowyd yn gyfangwbl at osod tramffyrdd ac fe fuont hwythau mewn bri tan ddyfodiad injanau tân a'r rheilffyrdd newydd ganol y ganrif.

Ond beth yn union oedd yn mynd ymlaen yn y gweithiau haearn eu hunain, felly? Canolbwynt yr holl broses o gynhyrchu haearn oedd y ffwrnais chwyth neu'r ffwrnais flast. Codid ffwrnais ar ffurf tŵr cadarn, sgwâr yn erbyn ochr bryn gan amlaf fel y gellid llwytho'r defnyddiau crai iddi yn syth o ben y ffwrnais. Llenwid y ffwrnais gyda haenau o fwyn, golosg a chalchfaen ac wedyn câi ei chynnau. Yna, roedd angen chwythu awyr i mewn i'r ffwrnais er mwyn codi'r tymheredd yn ddigon uchel i beri i'r haearn ddechrau 'rhedeg' o'r mwyn yng nghrombil y tân. Dyma'r 'chwyth' neu'r 'blast' a roddodd yr enw ar y fath hon o ffwrnais. Yn nyddiau cynnar y diwydiant, cynhyrchid y blast gan feginau enfawr wedi'u gyrru gan olwynion dŵr ond yn fuan iawn dyfeisiwyd injanau stêm i wneud yr un gwaith yn llawer mwy effeithlon. Yng Nghernyw y cafodd yr injanau hyn eu perffeithio at y dasg o bwmpio dŵr allan o'r cloddfeydd tun yno. Dyna darddiad yr enw 'injan Gernywaidd' i'w disgrifio a hefyd y rheswm bod Cernywiaid mentrus fel Richard Trevithick wedi dod i Gymru i ddylunio ac adeiladu peiriannau o'r fath. Enw arall arnynt oedd 'injan drawst' am fod trawst mawr yn rhan allweddol o'r

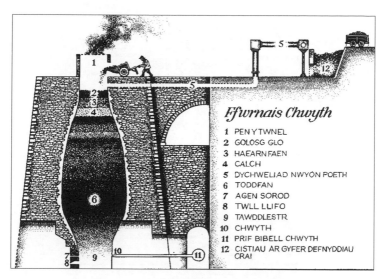

Trawstoriad trwy ffwrnais chwyth
(Michael Blackmore)

Ffwrnais Chwyth

1. PEN Y TWNEL
2. GOLOSG GLO
3. HAEARN FAEN
4. CALCH
5. DYCHWELIAD NWYÔN POETH
6. TODDFAN
7. AGEN SOROD
8. TWLL LLIFO
9. TAWDDLESTR
10. CHWYTH
11. PRIF BIBELL CHWYTH
12. CISTIAU AR GYFER DEFNYDDIAU CRAI

peirianwaith.

Byddai'r haearn yn rhedeg allan o'r mwyn yn rhan fwyaf llydan y ffwrnais, sef y 'bosh' – a dyna'r enw lleol o hyd ar y sinc lle mae pobl yn golchi'u dwylo! Wedyn casglai'r haearn tawdd yng ngwaelod y ffwrnais. Pan oedd y llwyth yn barod, eid ati i'w 'dapio' a rhedai'r haearn tawdd allan o'r ffwrnais ac i mewn i foldiau mewn gwely tywod enfawr yn y tŷ castio a safai'n union ar bwys y ffwrnais. Trefnid y moldiau hyn mewn ffordd oedd yn atgoffa'r 'moldwyr' (y dynion oedd yn gweithio yn y tŷ castio) o foch bach yn sugno. A dyna darddiad yr enw 'haearn porchell' ar yr ingotiau o haearn cast a gynhyrchid felly.

Er bod haearn cast yn ddefnyddiol at rai pethau, er mwyn ei ddefnyddio i'r rhan fwyaf o bwrpasau ymarferol, rhaid ei droi'n haearn mâl. Dyma'r gwaith a wneid yn y rhan arall o'r gwaith haearn, sef y *'forge'* neu, ag arddel term y gweithwyr haearn uniaith, y 'coethdy'. Cyn y Chwyldro Diwydiannol, y ffordd arferol o wneud hyn oedd trwy ail-dwymo a morthwylio'r haearn dro ar ôl tro nes bwrw'r amhureddau ohono a throi'r haearn cast yn haearn mâl. Ym Merthyr ym 1784 y perffeithiwyd ffordd hwylusach a mwy effeithiol o wneud hyn trwy'r broses oedd yn cael ei galw'n 'pwdlo'. Daeth i

Tŷ Castio
(Michael Blackmore)

feddwl am bwdlo fel ' y dull Cymreig' o weithio. Craidd y broses oedd ail-doddi'r haearn cast mewn ffwrnais arbennig a'i droi yn ei ffurf doddedig gyda pholyn hir o ddur fel y llosgai'r amhureddau ohono. Y gŵr oedd yn gyfrifol am y gwaith uffernol hwn oedd y 'pydlwr'. Pan oedd yr haearn tawdd yn barod at y cam nesaf, byddai'r pydlwr yn ei ffurfio'n belen fawr o haearn crasboeth, hanner toddedig ac yna'n ei gario draw i forthwylion enfawr ac i felin rholio i gael ei rolio'n fariau neu'n sitenni. Gwir yr hen driban:

> Mi fûm i sbel yn pwdlo
> Cyn dechrau gyda'r moldio,
> Yn cadw tân i'r injan flast,
> A thrin harn cast, a'i lwytho.

Cawn ni eto Eiddil Gwent (gweler uchod) yn Sirhywi'n moli'r dull newydd o weithio:

> Cawn weld y rhodau ar eu pegynau
> Yn gyrru y rholiau ar hynt

Trwy rym angerddol y peiriant nerthol
Fel gwennol yn y gwynt.

Daeth pobl o bell ac agos i weithio yn y diwydiant newydd. Daeth y mwyafrif llethol ohonynt o'r Gymru wledig – o Geredigion a Sir Gâr, o Frycheiniog ac o Forgannwg a chlywid achwyn nad oed yna ddigon o weision ffarm ar ôl yn yr ardaloedd gwledig i ddiwallu anghenion y ffermwyr. Ac eithrio ambell i Sais, Cymry uniaith oeddynt. Fel yr âi'r bedwaredd ganrif ar bymtheg yn ei blaen, deuai mwy a mwy o Wyddelod hefyd i ymgymryd â'r gwaith trymaf a butraf. Yr oedd hen jôc ymhlith pobl Sirhywi a Thredegar bod y Gwyddelod

Porchelli haearn yng Ngwaith Haearn Blaenafon (Frank Olding)

Melin Rholio
(Amgueddfa Genedlaethol Cymru)

yn siarad tair iaith – Saesneg wrth y meistri, y Gymraeg wrth bawb arall a'r Wyddeleg pan nad oedd gyda nhw unrhywbeth call i'w ddweud. Sut y byddai Cymry heddiw'n ymateb i'r fath ragfarn tybed?

Ffurfiwyd felly gymdeithas Gymraeg drefol am y tro cyntaf yn hanes y genedl. Ar lawer ystyr, roedd hi'n gymdeithas unigryw ac rydym yn ffodus iawn bod pobl fel Myfyr Wyn ac eraill wedi gadael cofnod mor drylwyr inni:

'Yr oedd mwy o sefydlogrwydd yn nodweddu'r dyddiau gynt nag sydd yn yr oes garlamol a chyfnewidiol bresennol [sef 1897], yn herwydd fod y gweithiau yn fwy sefydlog; ac anaml y

Un o docynnau
"truck" Nantyglo, 1811
(y Brodyr Coxe)

byddai neb, yn enwedig ar ôl priodi a dechrau magu teulu, yn meddwl am symud ei nyth. Bu fy mam fyw ryw dri ugain a saith o flynyddoedd yn y lle, heb gysgu noson oddi yno erioed, ac y mae yn awr yn huno ei hun olaf o fewn hanner milltir i'r man y ganed hi, ac yr oedd yno eraill yr un fath. Yr oedd pawb yn adnabod ei gilydd, ac yn gwybod hanes, a sefyllfa y naill a'r llall, bron fel pe byddent yn un teulu, a chryn bwnc fyddai i ddieithrddyn gael cronglwyd i lechu, oni fyddai ganddo ryw dylwyth yno, nid am nad oedd yr hen drigolion yn ddigon caredig i bobl ddieithr, ond yr oedd pob un yn glynu yn ei fwthyn ac yn ei waith.'

Roedd amodau gwaith wrth gwrs yn galed. Hefyd, roedd y ffordd y byddai'r gweithwyr yn cael eu talu'n achos anniddigrwydd a dicter. Unwaith y mis, neu unwaith bob chwech wythnos y byddent yn cael eu talu. Roedd rhaid byw yn y cyfamser, wrth gwrs, a byddai'r gweithwyr yn tynnu ar eu cyflog o flaen llaw – sef yr hyn oedd yn cael ei alw'n 'draw'. Erbyn diwrnod y *pay*, roedd yn ddigon posibl y byddai'r gweithiwr mewn dyled i'r cwmni ac felly, wrth gwrs, yn gaeth i'w gyflogwyr.

Ychwanegid at y broblem gan y system *'truck'*, sef talu'r gweithwyr mewn tocynnau pres yn hytrach nag arian go iawn. Ni allent wario y tocynnau ond yn Siop y Cwmni – y Siop Tryc – lle roedd prisiau'n aml yn uchel a'r nwyddau o safon gwael. Er bod y gyntaf o'r deddfau yn erbyn *'truck'* wedi'i phasio ym 1831, roedd y system yn dal mewn grym mewn rhai lleoedd hyd at y 1870au. Cof gennyf glywed Canon E.T. Davies, yr hanesydd eglwysig a Chymro Cymraeg brodorol o Forgannwg, yn galw arian yn 'tocyns' mor ddiweddar â'r 1970au.

Yn Nhredegar a Sirhywi, dydd Llun cyntaf y mis oedd dydd y *pay*. Roedd Llun y Pae yn cael ei gadw bron iawn fel gŵyl gyhoeddus – byddai'r glowyr a'r mwynwyr yn arbennig yn dod at ei gilydd i yfed 'cwrw casto a chwrw slwdgo' a byddai rhai'n yfed am wythnos gyfan. I wneud pethau'n waeth, roedd y dynion yn cael eu talu mewn

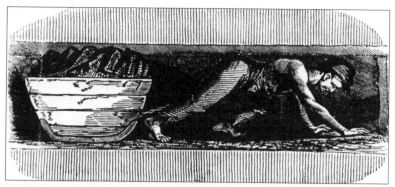

Bachgen yn llusgo "Sgip" lo tan ddaear, 1841 (Cyngor Blaenau Gwent)

tafarndai a byddai'n rhaid iddynt aros tan oriau mân y bore cyn cael eu cyflog. Roedd y swm a gaent yn aml ar fympwy'r 'Contractor' a phetai'r contractor ei hun mewn dyled, efallai na fyddent yn cael eu talu o gwbl.

Roedd canlyniadau'r arferion hyn yn anochel a dyma sydd gan Myfyr Wyn i'w ddweud:

'Yr oedd yn y cylch hwn fel ym mhob man arall gymeriadau o bob math, ac yn wir adwaenwn rai llysiau chwerwon yno, a gwelais Dwyn Star yn faes y gwaed ar lawer dydd Llun cynta'r mis, yr wythnos ar ôl y pay.

Nid oedd yn syndod yn y byd gweled tua dwsin yn noeth o'u bogeiliau i fyny yn dyrneidio ei gilydd nes ei bod yn anodd i'w perthnasau agosaf eu hadnabod, a thrannoeth, efallai mai hwy fyddai'r cyfeillion pennaf yn cydyfed a chydrafio, a gwae i neb ddweud gair rhyngddynt . . . Clywais ddweud hefyd mai lle poeth ydoedd i gymeriadau o'r un dueddfryd a ddigwyddai ddyfod yno o ardaloedd eraill i wneud arddangosiad o'u gwrhydri. Nid oedd yno yr un heddgeidwad yn fy nghof i, ac nid oedd ymddangosiad y 'cwnstab' yn peri ond ychydig ddychryn iddynt . . .'

Yn ogystal â hyn oll, roedd menywod a phlant hefyd yn gorfod

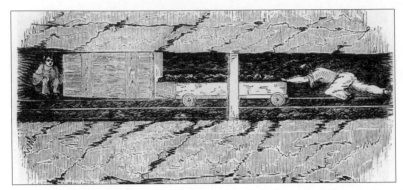

Plant bach yn agor drysau awyr tan ddaear, 1841 (Cyngor Blaenau Gwent)

llafurio yn y gweithiau haearn ac yn y pyllau glo a mwyn. Yn ôl Evan Powell, roedd dynion a menywod yn Nhredegar yn gweithio gyda'i gilydd tan ddaear heb wahaniaeth yn y byd ac mewn llawer achos roedd y rhyw deg yn rhagori o gryn dipyn ar y dynion fel glowyr neu fwynwyr. Roedd Evan Powell yn cofio yn arbennig fenyw o'r enw Betty Wilkes *('a faithful wife to a faithful husband')* yn gweithio fel 'ail law' i'w gŵr a oedd yn bydlwr yng ngwaith haearn Tredegar. Roedd hi'n helpu i ffurfio'r haearn toddedig o'r ffwrnais bydlo'n belen gyda theclyn o'r enw doli oedd yn debyg i ordd fawr gyda choes hir o haearn.

Ym 1841, cynhaliwyd Comisiwn Frenhinol i ymholi i'r sefyllfa. Cawsant ym Mlaenau Gwent fod plant mor ifanc â phump oed yn gweithio dan ddaear ddeuddeg awr y dydd yn agor a chau'r drysau oedd yn gwyntyllu'r glofeydd. Roedd plant eraill yn gweithio yn y gweithiau haearn eu hunain yn helpu'r pydlwyr ac yn pasio'r barrau haearn trwy'r rholiau yn y coethdy. Roedd bachgen o'r enw John William wedi dechrau gweithio'r rholiau yn naw oed ac wedi colli'i fraich yn ddeuddeg oed. Ym 1841, yn bymtheg oed, roedd yn gwarchod gatiau gwaith haearn Pen y Cae. Roedd eraill wedyn yn llwytho'r ffwrneisi ac yn gyrru ceirt o ludw i'r tomennydd sbwriel – unwaith eto am ddeuddeg awr y dydd. Er pasio deddf ym 1842 yn gwahardd cyflogi menywod a phlant tan ddaear, nid oedd unrhyw obaith gorfodi'r meistri i gadw at gyfraith gwlad tan y 1850au.

Gan fod y trefi diwydiannol newydd hyn wedi tyfu mor aruthrol o gyflym ac ar y cyfan heb unrhyw gynllun arbennig, ychydig iawn o sylw a roddwyd i bethau fel cyflenwadau dŵr a charthffosiaeth. Fel canlyniad, o bryd i'w gilydd, ymledai heintiau erchyll fel teiffoid a diptheria trwy'r cymunedau blith draphlith hyn. Y gwaethaf oll oedd colera – 'Brenin yr Arswydau'.

Mynwent Colera Cefn Golau
(Frank Olding)

Mae Mynwent Colera Cefn Golau, ar y gweundir llwm i'r gorllewin o Dredegar, yn un o leoedd tristaf yr ardal. Yma y gorwedd olion daearol o leiaf dau gant a thrigain o bobl a fu farw o'r colera. Bu dau epidemig difrifol yn Nhredegar, y cyntaf ym 1832-33 a'r ail ym 1849. Cafwyd trydedd achos llai difrifol ym 1866 hefyd. Achoswyd cymaint braw gan 'Brenin yr Arswydau' fel na châi'r rhai a laddwyd ganddo eu claddu ym mynwentydd capeli ac eglwysi'r dref. Gŵr o'r enw Thomas Ellis, peiriannydd yng ngwaith haearn Tredegar a drefnodd gael gafael ar rywle teilwng iddynt gael eu claddu'n barchus. Hon yw'r unig fynwent colera sydd ar ôl yng Nghymru, cliriwyd ymaith bob un o'r lleill.

Heddiw, rhyw chwech ar hugain o gerrig beddau sy'n dal i sefyll, wedi'u hamgylchynu gan ddarnau o rai eraill a'r tywydd garw wedi treulio llawer o'r arysgrifau. Ychydig iawn o gerrig beddau o 1832 sydd i'w cael a hwythau'n weddol fach o faint ond â llythrennau dwfn a chlir a chrefftwaith cain iawn yn eu cerfiadau blodeuog. Mae cerrig 1849 yn fwy niferus ac yn llawer mwy swmpus. Dyddiadau ym misoedd Awst a Medi 1849 sydd ar y rhan fwyaf, sef yr adeg pan oedd yr epidemig ar ei anterth. Mae dyddiadau marwolaethau y tu allan i'r blynyddoedd colera yn dangos i wŷr a gwragedd y rhai a gladdwyd yma ac a oroesodd yr epidemig ddewis gael eu claddu gyda'u hanwyliaid, er i'r fynwent ddod yn dabŵ ymysg pobl leol.

Yr hyn oedd yn neilltuol o frawychus i bobl oedd y ffordd y

medrai teuluoedd cyfan a oedd yn heini ac yn iach yn y bore farw erbyn y nos. Cadwai'r rhai oedd ar ôl draw o angladdau eu cymdogion. Arhosai pobl yn eu tai ac edrych ar y gorymdeithiau o bell. Cymaint oedd yr ofn fel ei bod yn anodd cael digon o bobl i helpu i gladdu'r rhai a fu farw. Yn ôl y sôn, roedd cymaint o stigma yn gysylltiedig â'r afiechyd fel bod rhai teuluoedd wedi claddu eu meirw liw nos ar ochr y mynydd. A dyma nhw hyd heddiw yn eu gorffwysfa unig ar y mynydd uwchben y dref.

O gofio hyn oll, nid oes rhyfedd yn y byd felly fod rhai o drigolion mwy anhydrin a thanbaid yr ardal wedi mynd ati i wrthryfela'n erbyn yr amodau byw a gweithio caled hyn. Yr ymdrech cyntaf i wella pethau oedd mudiad cudd o'r enw'r 'Teirw Scotch'. Cymoedd Blaenau Gwent a Chlydach roedd eu cartref a rhwng 1820 ac 1835 defnyddient fraw a fandaliaeth er creu undod ymhlith y dosbarth gweithiol ac i amharu (neu 'sgotsio') ar nerth dilyffethair y meistri haearn. Arddelent lun o ben tarw fel eu symbol ac yn ystod eu gweithgareddau byddai'r aelodau'n gwisgo crwyn anifeiliaid ac yn duo eu hwynebau rhag cael eu hadnabod.

Adwaenid eu harweinydd fel 'y Tarw' a gwrthryfelent yn arbennig yn erbyn y system truck. Byddent yn cwrdd liw nos yn y bryniau gyda sŵn cyrn a thabyrddau a saethu gynnau. Yn ogystal ag ymosod ar eiddo'r meistri, eu harfer oedd anfon llythyrau o rybudd at y 'blaclegwyr' oedd yn cario clecs i'r meistri am eu gweithgareddau. Os nad oedd rheini'n ufuddhau, ymosodid ar eu tai a'u heiddo hwythau.

Penllanw gweithgaredd y Teirw Scotch oedd y blynyddoedd 1832-34 gydag ymgyrch ffyrnig a ysbrydolwyd gan y ffaith fod y meistri wedi llwyr anwybyddu'r Ddeddf Gwrth-Truck a basiwyd gan y Senedd ym 1831. Daeth hyn oll i uchafbwynt dramatig ym 1834 pan laddwyd menyw yn ystod ymosodiad ar dŷ ym Medwellte. Cafodd glöwr ifanc o'r enw Edward Morgan ei ddal a'i erlyn am lofruddiaeth. Er na saethodd Morgan yr ergyd farwol ei hunan, fe'i cafwyd yn euog o lofruddiaeth ond gydag argymhelliad am drugaredd. Er gwaethaf hynny, cafodd ei grogi yng Ngharchar Trefynwy.

Y mwyaf dramatig o'r ymgyrchoedd gwleidyddol a

Gwrthryfel y Siartwyr, 1839 (Cyngor Blaenau Gwent)

chymdeithasol hyn, wrth gwrs, oedd Gwrthryfel y Siartwyr ym 1839. Roedd Siartiaeth wedi tyfu o anfodlonrwydd y werin ynglŷn â Deddf Diwygio Seneddol 1832. Er gwaethaf y ddeddf, dim ond perchnogion eiddo a thir oedd â'r hawl i ethol Aelodau Seneddol. Ym Mai 1838, cyhoeddwyd 'Siarter y Bobl' gyda'i chwe chymal radical:

- Hawl pleidleisio i bob dyn dros 21 oed,
- Etholiad trwy bleidlais ddirgel,
- Etholaethau cyfartal o ran nifer yr etholwyr,
- Etholiadau Seneddol blynyddol,
- Dileu perchnogaeth eiddo a thir fel cymhwyster ar gyfer Aelodau Seneddol,
- Talu cyflog i Aelodau Seneddol.

Trwy 1838, tyfodd cefnogaeth i'r Siarter yn ne Cymru yn gyflym. Ffurfiwyd cyfrinfa gyntaf Siartwyr Blaenau Gwent yn y *Star Inn* yn Nhwyn Sirhywi (sef *Dukestown* yn Saesneg). Arweinwyr cydnabyddedig Siartwyr Sir Fynwy oedd Zephaniah Williams o Sirhywi, John Frost o Gasnewydd a William Jones o Bontypŵl.

Ogof y Siartwyr, Trefil (Frank Olding)

Zephaniah Williams oedd yn bennaf gyfrifol am dwf Siartiaeth ym Mlaenau Gwent, ac ef a arweiniodd Siartwyr Blaenau Gwent drwy'r glaw mawr ar eu gorymdaith aflwyddiannus i Gasnewydd ar noson 3ydd o Dachwedd 1839.

Roedd y Siartwyr wastad wedi ymrannu'n ddwy garfan – y dynion 'grym moesol' a'r dynion 'bôn braich' – y rhai oedd yn barod i godi arfau i ennill y Siarter. Gyda methiant pob ymdrech moesol i ddwyn perswâd ar y Senedd, y garfan dreisgar a orfu. Erbyn Awst 1839, roedd y Siartwyr yn dechrau arfogi a gwelid 'Goleuadau'r Siartwyr', llusernau a ffaglau'n symud ar draws y mynyddoedd liw nos. Roedd cyfarfodydd anghyfreithlon gydag areithiau tanllyd yn digwydd bron bob nos.

Felly, ar noson wlyb a gwyntog Tachwedd 3ydd, 1839, cychwynnodd 4,000 o ddynion arfog Blaenau Gwent dan awreinyddiaeth Zephaniah Williams ar yr orymdaith hir i lawr i Gasnewydd. Roedd Gwrthryfel y Siartwyr – gwrthryfel arfog olaf Prydain – wedi dechrau. Ar ôl noson hir o gerdded yn y gwynt a'r curlaw, cyrhaeddodd y Siartwyr Gasnewydd am hanner wedi saith y bore canlynol, sef bore Llun, Tachwedd 4ydd.

Ar ôl llwyddo i gymryd rhai o'r Siartwyr yn garcharorion yn ystod y nos, roedd yr awdurdodau yng Nghasnewydd wedi dewis Gwesty'r Westgate fel pencadlys dan warchodaeth tua thrigain o gwnstabliaid arbennig a deg ar hugain o filwyr o'r *'45th Regiment of Foot'*. Penderfynodd John Frost mynd yn syth i'r Westgate i geisio rhyddhau'r carcharorion. Erbyn hanner awr wedi naw, roedd byddin y Siartwyr yn sefyll y tu allan

Un o'r Tai Crwn yn Nant-y-glo
(Cyngor Blaenau Gwent)

i'r gwesty ac yn gweiddi am ryddhau'r carcharorion. Dechreuodd ffrwgwd ym mhorth y Gwesty a thaniwyd mwsged. Rhuthrodd rhai o'r Siartwyr drwy'r drysau ac i mewn i gyntedd y gwesty. Ar yr un pryd, symudwyd y caeadau oddi ar ffenestri'r gwesty a dechreuodd y milwyr danio ar y dorf. Roedd y Siartwyr o fewn y gwesty yn dal i ymladd. Gan agor drws i'r cyntedd, saethodd y milwyr foli ar ôl foli nes nad oedd yr un Siartwr byw ar ôl.

Nid oedd brwydr y Westgate ond wedi parhau am ryw bum munud ar hugain, ond roedd dau ar hugain o bobl yn farw neu ar fin marw a mwy na hanner cant wedi'u hanafu. Ymhlith y meirwon, roedd deg dyn o Flaenau Gwent – William Evans, Rees Meredith a David Morgan o Dredegar a Sirhywi; David Davies a'i fab o Frynmawr; John Jonathan, Abraham Thomas, Isaac Thomas a John y Rholiwr o Nant-y-glo a'r Blaenau a William Williams o Gwmtyleri. Ar noswaith Tachwedd 7fed, aethpwyd â'r cyrff o'r Westgate i'w claddu mewn beddau dienw ym mynwent Eglwys Gadeiriol Gwynllŵg.

Llwyddwyd yn fuan i ddal yr arweinwyr ac fe'u herlynwyd am deyrnfradwriaeth mewn achos llys yn Neuadd y Sir yn Nhrefynwy. Fe'u cafwyd yn euog a'u condemnio i farwolaeth ond ar sail rhyw fanylion technegol, cymudwyd y ddedfryd o farwolaeth i alltudiaeth am oes. Ar Chwefror 2 1840 hwyliodd Frost, Williams a Jones am Van Diemen's Land. Ni welodd Zephaniah Williams Gymru byth eto a bu farw yn Launceston, Tasmania, ar 8 Mai 1874.

Mae'r Siartwyr wedi gadael eu hôl ar lên gwerin yr ardal. Mae Ogof y Siartwyr i'w chael mewn bryncyn amlwg ar y rhostir agored i'r gogledd o Drefil. Yr enwau gwreiddiol arni oedd y Dylles Fawr neu'r Stabl Fawr. Yn 1809, daeth i sylw Theophilus Jones, awdur *The History of Brecknockshire:*

> '. . it is generally known by the corrupted Welsh name of Stabl Fawr, or the great stable, because the little hilly horses, cattle and sheep are frequently known to run into it for shelter from the storm.'

Mor gynnar â 1884, cofnododd Evan Powell draddodiad lleol cryf iddi gael ei defnyddio fel ffatri arfau a man cyfarfod dirgel yn y cyfnod yn arwain at Wrthryfel y Siartwyr yn 1839. Rhaid dweud fod Oliver Jones, hanesydd uchel ei barch am Syrhywi a Tredegar yn amheus am wirionedd y traddodiad.

Fodd bynnag, pan gloddiwyd yn yr ogof yn 1970 gan aelodau Clwb Ogofa Dyffryn Hafren dan gyfarwyddyd R.G. Lewis, darganfuwyd esgyrn dynol, cetyn clai, darnau o lo a charreg wastad â rhyw dyllau rhyfedd trwyddi. Mae'n bosibl fod y garreg o gryn oed. Cynhaliwyd cwest ar yr esgyrn dynol ac awgrymodd tystiolaeth a gyflwynwyd gan Dr Bernard Knight (patholegydd enwog gyda'r Swyddfa Gartef) eu bod yn gymharol ddiweddar, sef rhyw 50-100 mlwydd oed. Credai fod yr esgyrn wedi dod o dri unigolyn o leiaf ac roedd un asgwrn clun wedi ei ddarnio, gan adael y posibilrwydd i'r esgyn gael eu claddu ar ôl rhyw derfysg yn y gymdogaeth. Ai cyrff y Siartwyr oedd y rhain a gariwyd adref o'r gyflafan a'u claddu yma yn y dirgel? Ai dyma wir ystyr Ogof y Siartwyr? Mae'n debyg na chawn wybod byth ond mae trigolion Trefil yn mynnu bod yr esgyrn yn olion rhyw gachgwn oedd yn cario'r clecs i'r awdurdau ac a lofruddiwyd gan y Siartwyr am eu brad!

Gyda'r fath derfysgoedd yn ymfflamychu mor gyson, nid yw'n

Tŷ Mawr a'r Tai Crwn oddeutu 1830 (Michael Blackmore)

syndod bod y meistri haearn wedi ceisio amddiffyn eu hunain a'u heiddo. Yr enghraifft orau o'u hymateb yw hanes hynod Tyrau Crwn Nant-y-glo. Adeiladwyd y tyrau gan y brodyr Bailey, meistri haearn Nant-y-glo fel amddiffynfa rhag ofn terfysgoedd ymysg eu gweithwyr eu hunain. Codwyd dau dŵr uchel a mur cadarn o gwmpas yr ysguboriau a'r storfeydd oedd yn perthyn i'r gwaith haearn gwreiddiol ac yn dyddio'n ôl i oddeutu 1795. Yma y cedwid yr holl offer ar gyfer y gweithiau ac yma hefyd y trigai'r ceffylau a dynnai'r holl dramiau a oedd mor bwysig yng ngwaith y diwydiant haearn. Diogelu'r offer a'r ceffylau hyn oedd diben y tyrau lawn gymaint â chynnig gwarchodfa i'r meistri eu hunain.

Roedd eu hangen arnynt hefyd. Arweiniodd y newyn a'r tlodi a achoswyd gan y dirwasgiad yn y diwydiant haearn ar ôl rhyfeloedd Napoleon at derfysgoedd difrifol yn Nant-y-glo ym 1816 ac eto ym 1822. Trechwyd milwyr lleol gan 'gyfuniad' o weithwyr Nant-y-glo dan arweiniad dau ŵr lleol o'r enw Josiah Evans a Harry Lewis. Bu'n rhaid galw am fwy o filwyr i dawelu'r anghydfod ac am bron i bythefnos cafodd y Scots Grays (yn enwog am eu rhan bwysig ym Mrwydr Waterloo) lety yn stablau'r Tyrau Crwn.

Yng nghyfrifiad 1841, cofnodwyd bod John Wells, ysgrifennydd preifat Joseph a Crawshay Bailey, yn byw yn y tŵr deheuol (sydd bellach yn furddun). Cafodd y tŵr gogleddol ei adfer ym 1990. Mae ganddo ddrws haearn cadarn mewn cyntedd carreg oedd yn wreiddiol â phigau crwn yn ymwthio allan i rwystro neb rhag dringo i'r lloriau uchaf. Yn y drws ei hun, mae dau dwll mwsged sy'n gallu cael eu cau o'r tu mewn gan gaeadau bychain o haearn. Mae muriau'r tŵr yn bedair troedfedd o drwch gyda'r ffenestri'n gulach o lawer ar y tu fewn nag ar y tu faes er mwyn gwarchod yr amddiffynwyr. Mae holl adeiladwaith y ffenestri a'r lloriau mewnol wedi'u gwneud o haearn cast – yn wir, mae popeth yn yr holl adeilad a fyddai fel arfer o bren wedi'i wneud o haearn cast. Mae'r to yn un unigryw gan ei fod wedi'i gynllunio yn y gweithiau ac wedi'i ffurfio o ddarnau enfawr o haearn cast ar ffurf petalau sy'n ymestyn allan fel blodeuyn o blât canolog crwn.

Ryw ganllath o'r tyrau, saif olion Tŷ Mawr, plasty ysblennydd a adeiladwyd gan y brodyr Bailey ym 1816. Roedd gerddi mawr o'i amgylch gyda lonydd coed a nant fynyddig. Wrth wyneb y tŷ, roedd colonâd o chwe philer haearn (eto wedi'u castio yn y gwaith) yn cynnal feranda ac eid i mewn i'r tŷ trwy ddrysau mawr. Yn y cyntedd, roedd rhes o risiau o farmor addurnedig yn dringo i'r ail lawr. Yng nghefn y tŷ roedd cyfres o adeiladau ychwanegol yn ffurfio cwrt bychan. Mae'n rhaid bod gwerin bobl Nant-y-glo wedi bod yn boenus o ymwybodol o'r gwahaniaeth rhwng eu hamodau byw hwythau a rhai eu meistri! Defnyddiwyd y tŷ hyd 1885 a chafodd ei ddymchwel yn ystod yr Ail Ryfel Byd ar ôl mynd â'i ben iddo.

Erbyn canol y bedwaredd ganrif ar bymtheg, roedd newidiadau cymdeithasol mawr ar waith yn yr hen 'Deyrnas Ddu'. Roedd y diwydiant haearn wedi dirywio'n arw gan arwain at allfudo sylweddol. Roedd y gymdeithas glos, Gymraeg y mae Myfyr Wyn yn ei phorteadu yn prysur fynd ar chwâl ac efallai priodol yma yw gadael y gair olaf iddo:

'Er fy mod fel hyn yn cyfeirio at gymeriadau geirwon yr hen amser gynt, na feddylied y darllenydd nad oedd yn yr hen ardal gymeriadau disglair teilwng o'u cymharu ag un ardal yng

Long Row, Nantyglo – cartrefi'r gweithwyr
(Amgueddfa Genedlaethol Cymru)

Nghymru, ac y mae eu henwau hyd heddiw yn perarogli uwch
eu beddau, ac yn gloywi eu hanes. A byddai fy atgofion yn
waeth na di-fudd heb gyffwrdd â'u hanes, a chodi eu henwau
annwyl i sylw eu holafiaid . . . gan geisio eu gwneud yn
ddiddorol, nid yn unig i'm hen gyd-ardalwyr yng ngwahanol
barthau'r byd, ond hefyd i eraill . . . sydd yn teimlo rhywfaint
o ymlyniad mewn hen bethau sydd yn fuan gilio o'r byd.'

Tafarndai Hanesyddol

Mae tafarndai'n chwarae rhan bwysig yn hanes cymdeithasol unrhyw ardal. Mewn cyfnodau heb neuaddau pentref nac adeiladau cyhoeddus mawr eraill, gwasanaethent fel addoldai, llysoedd barn a mannau cyfarfod yn ogystal â fel lleoedd i ymlacio a chymdeithasau. Yn hyn o beth nid yw Blaenau Gwent yn wahanol i lawer ardal ddiwydiannol arall yng Nghymru. Yn gyntaf ac efallai er syndod i lawer o Gymry Cymraeg, fe ddechreuwn ni gyda'r tai hynny sydd ag enwau Cymraeg.

Ym 2010, agorwyd tafarn newydd yn Abertyleri o'r enw Y Pontlotyn. Enwyd y lle felly am fod y dafarn wedi'i lleoli mewn adeilad a oedd unwaith yn gartref i'r 'Pontlottyn Stores'. Sefydlwyd y gyntaf o gadwyn o siopau dillad mawrion gan David Morgan ym mhentref Pontlotyn ar bwys Rhymni ym 1858 ac agorodd y gangen yn Abertyleri ym 1870. Yn y 1920au, Abertyleri oedd ail dref fwyaf yr hen Sir Fynwy ac yn ganolfan siopa a ddenai bobl o filltiroedd a hynny sy'n cyfrif am y nifer fawr o siopau ysblennydd a geid yn y dref.

Ym mhentref Blaenau Gwent i'r gogledd o Abertyleri mae tafarn o'r enw Y Glyn Mawr. Hen ffermdy Clun Mawr oedd hon gynt - rhan bwysig o eiddo teulu Edmund Jones ac mae ganddo lawer o bethau difyr iawn i ddweud am y lle a'r tylwyth. Yn y Clun Mawr roedd ei fodryb yn byw a chanodd bardd lleol farwnad iddi'n ôl ar ddechrau'r 18fed ganrif.

Enwyd y Cymro Inn yn Bailey Street ym Mryn-mawr ar ôl yr injan stêm gyntaf a brynwyd gan Joseph a Crawshay Bailey, meistri haearn Nant-y-glo, ym 1842. Llusgai'r injan dunelli o galchfaen o'r chwareli yn Llangatwg i'r gwaith haearn yn Nant-y-glo. Safai sied yr injan gyferbyn â'r dafarn a dyma'r rheswm am yr enw gwladgarol hwn. Yr injan (nid y dafarn!) oedd testun yr hen gân werin a genid ar dôn y Mochyn Du:

Cosher Bailey had an engine
A-puffing and a-blowing,
When it went on full steam power
He could go eight miles an hour.

Was you ever see,
Was you ever see,
Was you ever see
Such a funny thing before?

Cosher Bailey had an engine
And the engine wouldn't go
So we pushed the bloody engine
All the way to Nant-y-glo.

Ac yn y blaen am hydoedd!

Yn y Cwm, o fewn milltir a hanner i safle'r Eisteddfod Genedlaethol yng Nglyn Ebwy, saif y Bailey Arms. Mae hon hefyd a'i gwreiddiau yn nheyrnasiad y brodyr Bailey dros yr ardal rhwng 1811 ac 1872.

Rhyw ddau ganllath o'r Cymro Inn, deuir o hyd i'r Gwesty Bach gyferbyn ag amgueddfa hyfryd Bryn-mawr. Enw gwreiddiol y lle oedd y Clarence Hotel a dyna sy'n cyfrif am enw Clarence Street ar ei phwys. Ail-fedyddiwyd y lle yn gynnar yn y 1970au a buan iawn y daeth yn ganolfan i holl weithgareddau Cymraeg yr ardal. Cynhelid yma dwmpathau a disgos Cymraeg a chwaraeai bandiau Cymraeg yn y lle yn rheolaidd. Rhyw frith got gennyf imi weld Edward H yn chwarae yma unwaith. A dyma'r fan hefyd lle sylweddolais fod y fath beth â merched Cymraeg! Ond mae honno'n stori arall . . .

Un o dafarndai hynaf yr ardal yw'r Rhyd y Blew ar gyrion gorllewinol Cendl. Mae'n sicr yn dyddio'n ôl i 1794 pan osodwyd y rheilffordd a gysylltai Gwaith

Tafarn Tŷ Uchaf, Trefil
(Frank Olding)

Y Cymro Inn, Bryn-mawr
(Frank Olding)

Haearn Cendl â'r gamlas i lawr yng Ngilwern ar begwn arall y fwrdeistref. Y perchnogion ym 1800 oedd William a Mary Miles ac roedd yr Annibynwyr yn defnyddio'r lle ar gyfer eu hoedfaon. Erbyn 1808, roeddynt yn rhentu ystafell yn y Refiner's Arms am bum swllt y mis. Codasant gapel Carmel ar bwys Rhyd y Blew ym 1821 lle safai hen dalwrn ceiliogod. Beth oedd ymateb criw'r Rhyd i hynny, tybed?

Yn Nhredegar mae tafarn arall o enw'r Rhyd ac mae cysylltiad agos rhwng y ddau le. Enw gwreiddiol Rhyd Tredegar oedd Llyswedog Fach ond, rywbryd yn ystod y 18fed ganrif, symudodd Edward Rees o'r Rhyd y Blew i fyw yno. Ei lysenw'n lleol, felly, oedd Edward o'r Rhyd. Dros y blynyddoedd, deuid i feddwl am gartref Edward o'r Rhyd fel 'y Rhyd' – ac mae'r enw wedi glynu byth oddi ar hynny. Cyn cael ei droi'n dafarn, roedd y lle'n gartref i rai o reolwyr Gwaith Haearn Tredegar a'r pyllau glo o'i amgylch.

Ar gyrion y Coedcae (ystâd fawr o dai yn Nant-y-glo) deuir o hyd i dafarn o'r enw Y Ffos Maen. Ffermdy a ffurfiai ran o ystâd weddol fawr oedd y dafarn yn wreiddiol. Tan godi capel Horeb yn y Garn Fach ym 1820, y Ffos Maen oedd man cyfarfod Bedyddwyr yr ardal. Yng Nglyn Ebwy, ar Dwyn Drysïog ('Briery Hill' bellach) roedd tafarn Heol y Mwyn - a adwaenir felly am ei bod yn sefyll ar ochr y rhiw a arweiniai o'r hen lefeli fwyn a glo ar ochr y cwm i lawr i hen Waith Haearn Pen y Cae yn y gwaelod.

Mae hynny'n dod â ni at holl ddylanwad 'y gwitha' ar enwau tafarndai'r ardal. Soniwyd eisoes am y Refiner's Arms yng Nghendl a cheid ar un adeg sawl Rolling Mill a Forge Hammer yn adlais o sŵn hen goethdai'r gweithiau haearn. Dim ond un sydd gyda ni o hyd, ysywaeth, sef y Rolling Mill yn Stryd yr Eglwys, Abertyleri. Enwyd y

Rock and Fountain yng Nghwm Clydach ar ôl chwarel Craig y Ffynnon gerllaw ac mae'n dyddio'n ôl i o leiaf 1844. O fewn rhyw filltir saif y Drum and Monkey ar ochr yr hen heol o Fryn-mawr i'r Gilwern sy'n dilyn hynt hen reilffordd Clydach. Roedd y tŷ hwn yn enwog ar un adeg am baffio dyrn-noeth. Ar ochr arall Cwm Clydach, ceir tafarn o

Tafarn Rhyd y Blew, Cendl
(Frank Olding)

natur fwy heddychlon o hyd, sef y Jolly Colliers! Rhai o dafarndai 'diwydiannol' eraill Bryn-mawr a'r cylch roedd y Vulcan, y Miner's Arms, y Founder's Arms, y Collier's Arms a'r Brickman's Arms. 'Does dim un o'r rhain wedi goroesi. Ymhlith yr enwau mwyaf anarferol oedd y Live and Let Live, y Gold Diggers Arms, y Shoulder of Mutton a'r Thorn Hedge – hoffwn yn fawr wybod yr hanes y tu ôl i enw hon! Mae'r Gold Diggers gyda ni o hyd.

Roedd gan rai o dafarndai'r fro le amlwg ym mywyd gwleidyddol y trigolion. Gwelwyd eisoes mor bwysig oedd y Star Inn yn helbul y Siartwyr. Yn ystod haf 1839, symudodd Zephaniah Williams o Sirhywi i Nant-y-glo i gadw tafarn o'r enw digon eironig y Royal Oak. Yno y cynhelid holl gyfarfodydd tanbaid Siartwyr Nant-y-glo ac oddi yno ar noson Tachwedd 3ydd 1839, yr arweiniodd Zephaniah ei ddilynwyr arfog ar eu gorymdaith i Gasnewydd. Mae'r dafarn wedi'i chau ers degawdau ond gwelir plac yno o hyd sy'n cofnodi'r hanes. Yn y King Crispin yn Boundary Street (sef hen ffin plwyfi Llanelli a Llangatwg) byddai Siartwyr Bryn-mawr yn cwrdd - roedd y tafarnwr, David Lewis, yn Siartwr selog ond ar ôl y gyflafan yng Nghasnewydd a'r helynt a'i dilynodd, fe ddaethpwyd o hyd iddo gan yr awdurdodau'n cuddio mewn cist yn seler y dafarn! Fe'i dedfrydwyd i dair blynedd o garchar.

Arweiniodd y twf aruthrol ym mhoblogaeth Blaenau Gwent yn

RHYD – Y – BLEW

Arwydd Rhyd y Blew
(Frank Olding)

ystod blynyddoedd cynnar y 19eg ganrif at dwf cyfatebol yn nifer y tafarndai. Yn ôl *Pigot's Directory* ar gyfer 1844, roedd gan Fryn-mawr 15 o dafarndai ac 21 o 'tai cwrw' - roedd tai cwrw wedi dod i fodolaeth yn sgil y 'Beer Act' ym 1830. O dalu dwy gini am drwydded roedd hawl gan bobl werthu cwrw a seidr o'u tai - ymgais aflwyddiannus i atal pobl rhag yfed cymaint o gin! Felly, ar gyfer poblogaeth o ryw 2,600, roedd yna 36 o leoedd i godi'r bys bach! Yn Llanelli a Chlydach, roedd dim llai na 12 tafarn a 31 o dai cwrw. Ar wahanol adegau, mae 76 o dafarndai wedi'u cofnodi ym Mryn-mawr yn unig a gellid hawlio niferoedd tebyg yn nhrefi eraill yr ardal.

Un o'r adeiladau hynaf yn Nhredegar yw'r Tredegar Arms sy'n ffurfio rhan o'r Cylch lle mae cloc enwog y dref yn ffurfio canolbwynt i un o'r trefi diwydiannol cyntaf yn y Deyrnas Unedig i gael ei hadeiladu ar gynllun ffurfiol. Codwyd y dafarn ym 1802 ac fe'i dilynwyd yn fuan iawn gan y Cambrian Inn ym 1809 a chan y Black Prince ym 1817. Mae llyfrgell y dref yn sefyll lle bu'r Black Prince ers talwm ond mae'r ddwy arall gyda ni o hyd ac ae cynllun ar y gweill i'w hadnewyddu fel rhan o gynllun i adfywio canol Tredegar. Un arall o hen dafarndai'r dref sy'n dal i fynd yw'r Crown Inn ym Mhant y Gerdinen a agorodd ei drysau am y tro cyntaf yn ôl ym 1810.

O fewn rhyw ddau ganllath i'r Cylch, saif y Castle Hotel. Fe gafodd y gwesty ei godi rywbryd rhwng 1803 ac 1805 ac mae

108

tarddiad yr enw'n hynod ddifyr. Adeiladodd Richard Fothergill, un o berchnogion cynnar Gwaith Haearn Sirhywi, dŵr crwn ar ddarn o dir gyferbyn â safle presennol y gwesty. Yr enwau lleol arno oedd 'The Old Castle' neu 'Fothergill's Folly' ac fe safai ar ryw chwarter erw o dir wedi'i amgylchynu gan furiau. Pan ddymchwelwyd y tŵr, defnyddiwyd y meini i adeiladu'r gwesty newydd a dyna sy'n cyfrif am enw'r Castle Hotel! Cyn agor y Neuadd Ddirwest ym 1861, y Castle oedd man cyfarfod llys ynadon y dref. Yn ystod etholiad cyffredinol 1868, torrodd terfysg difrifol allan y tu faes i'r gwesty rhwng cefnogwyr yr ymgeiswyr Rhyddfrydol a Cheidwadol. Ynghanol yr helbul, cafodd bachgen bach ei ladd a bu'n rhaid galw am ragor o gwnstabliaid a'r '23rd Regiment of Foot'. Darllenwyd y Ddeddf Derfysg a chliriwyd y strydoedd cyn y llwyddwyd i roi taw ar yr helynt.

Llyfryddiaeth

Baring-Gould. S. & Fisher. J. 1911. *The Lives of the British Saints,* Cyfrol III (Llundain: Anrhydeddus Gymdeithas y Cymmrodorion).

Brooke. o. 1988. 'The Early Christian Church In Gwent', *The Monmouthshire Antiquary,* Cyfrol V, Rhan 3, 72-84.

Coxe, William, 1801. *An Historical Tour Through Monmouthshire* (Llundain: T. Cadell a W. Davies; adargr. 1995, Merton Priory Press).

Davies, John, 1992. *Hanes Cymru* (Llundain: Penguin Books).

Davies, Owen, 1999. *Witchcraft, Magic and Culture* (Manceinion: Manchester University Press).

Gray-Jones, Arthur, 1970. *A History of Ebbw Vale* (Rhisga: gan yr awdur).

Gruffydd, R.G. 1959. 'Awdl Wrthryfelgar gan Edward Dafydd', *Llên Cymru V,* 155-162.

Gruffydd, R.G. 1971. 'Cywydd, englynion a chwndidau gan Edward Dafydd o Drefddyn', *Llên Cymru XI,* 213-38.

Howells, William. 1831. *Cambrian Superstitions, Comprising Ghosts, Omens, Witchcraft, Traditions, Etc.* (adargr. 1991, Felinfach: Llanerch Publishers).

Jarman, A.O.H. (gol.) 1982. *Llyfr Du Caerfyrddin* (Caerdydd: Gwasg Prifysgol Cymru)

Jenkins, G.H. 1981. Geni Plentyn ym 1701: Profiad 'Rhyfeddol' Dassy Harry (Caerdydd: Amgueddfa Genedlaethol Cymru).

Jones, Edmund, 1779. *A Geographical, Historical and Religious Account of the Parish of Aberystruth* (Trefeca).

Jones, Edmund, 1780. *A Relation of Apparitions of Spirits in the Principality of Wales: to which is Added the Remarkable Account of the Apparition in Sunderland* (heb wasgnod).

Jones, Edmund, 1813. *A Relation of Apparitions of Spirits in the County of Monmouth and Principality of Wales* (Casnewydd: H. Lewis).

Jones, Edmund, 2003. (Harvey, John gol.) *The Appearance of Evil: Apparitions of Spirits in Wales* (Caerdydd: Gwasg Prifysgol Cymru).

Jones, Oliver, 1969. *The Early Days of Sirhowy and Tredegar* (Rhisga: Cymdeithas Hanesyddol Tredegar).

Jones, Theopilus, 1809. *The History of Brecknockshire*, Cyfrol II, rhan ii (heb wasgnod).

Lloyd, J. E. (et al., gol.) 1959. *The Dictionary of Welsh Biography down to 1940* (Llundain: Cymdeithas Anrhydeddus y Cymmrodorion).

Morris, David (Eiddil Gwent), 1868. Hanes Tredegar o Ddechreuad y Gwaith Haiarn hyd yr Amser Presennol, Buddugol yn Eisteddfod Cymrodorion Tredegar am y flwyddyn 1862 at yr hyn yr ychwanegwyd Braslun o Hanes Pontgwaithyrhaiarn (Tredegar: J. Thomas).

Olding, Frank, 1989. *The Blaenau Gwent Chartists* (Cyngor Blaenau Gwent).

Olding, Frank, 1999. 'Traddodiad Cymraeg y Fenni a'r Cylch' yn Edwards, H.T. (gol.) *Cyfres y Cymoedd: Ebwy, Rhymni a Sirhywi* (Llandysul: Gwasg Gomer), 60-84.

Parry-Jones, D., 1963a. 'Llanelly Parish (Breconshire): Some Legends and Superstitions', *South Wales Weekly Argus*, Ebrill 4, 1963.

Parry-Jones, D., 1963b. 'Llanelly Parish (Breconshire): The Long Man's Grave', *South Wales Weekly Argus*, Ebrill 11, 1963.

Parry-Jones, D., 1963c. 'Llanelly Parish (Breconshire): Charmers, Big and Small', *South Wales Weekly Argus*, Ebrill 18, 1963.

Parry-Jones, D., 1963d. 'Llanelly Parish (Breconshire): Horses Bewitched', *South Wales Weekly Argus*, Ebrill 25, 1963.

Parry-Jones, D., 1963e. 'Llanelly Parish (Breconshire): Age of Saints', *South Wales Weekly Argus,* Mai 16, 1963.

Parry-Jones, D., 1963f. 'Llanelly Parish (Breconshire): A Quaint Little Church', *South Wales Weekly Argus*, Mai 23, 1963.

Parry-Jones, D., 1963g. 'Llanelly Parish (Breconshire): Made No Bones About It', *South Wales Weekly Argus,* Mai 30, 1963.

Parry-Jones, D., 1963h. 'Llanelly Parish (Breconshire): Big Day of the Big Funeral', *South Wales Weekly Argus*, Mehefin 20, 1963.

Parry-Jones, D., 1963i. 'Llanelly Parish (Breconshire): Long Room School', *South Wales Weekly Argus*, Gorffennaf 4, 1963.

Parry-Jones, D., 1963j. 'Llanelly Parish (Breconshire): Decay of the Language', *South Wales Weekly Argus*, Gorffennaf 25, 1963.

Parry-Jones, D., 1963k. 'Llanelly Parish (Breconshire): Cromwell was Here', *South Wales Weekly Argus*, Awst 8, 1963.

Parry-Jones, D., 1963l. 'Llanelly Parish (Breconshire): Romantic Clydach Valley', *South Wales Weekly Argus*, Awst 15, 1963.

Parry-Jones, D., 1963m. 'Llanelly Parish (Breconshire): Clydach's Rainbow Fall', *South Wales Weekly Argus*, Awst 22, 1963.

Parry-Jones, D., 1963n. 'Llanelly Parish (Breconshire): Grandeur of Pwllcwn', *South Wales Weekly Argus*, Awst 29, 1963.

Parry-Jones, D., 1975. *A Welsh Country Parson* (London: Batsford).

Philips, Edgar, 1959. *Edmund Jones: 'The Old Prophet'* (Llundain: Robert Hale).

Powell, Evan. 1902. *The History of Tredegar: Subject of a Competition held at Tredegar Chair Eisteddfod*, February 1884 (adargr. 2008, Tredegar: Fforwm Treftadaeth Blaenau Gwent).

RCAHMW 1997. *An Inventory of the Ancient Monuments in Brecknock* (Brycheiniog); The Prehistoric and Roman Monuments, Part I, (Aberystwyth: Y Gomisiwn Frenhinol ar Henebion Cymru).

Roberts, Peter, 1815. *The Cambrian Popular Antiquities of Wales* (adargr. 1994, Cyngor Sir Clwyd).

Roberts, William, 1852. *Crefydd yr Oesoedd Tywyll neu Henafiaethau* (Caerfyrddin: Swyddfa Seren Gomer).

Roderick, Alan, 1983. *The Folklore of Gwent* (Cwmbrân: Village Publishing).

Roderick, Alan, 1986. *Unknown Gwent* (Cwmbrân: Village Publishing).

Roderick, Alan, 1987. *The Ghosts of Gwent* (Cwmbrân: Village Publishing).

Sikes, Wirt, 1880. *British Goblins: Welsh Folk-lore, Fairy Mythology, Legends and Traditions* (Llundain: Sampson Low, Marston, Searle a Rivington).

Siôn, Harri, 1747. *Rhai Humnau a Chanuau Duwiol a'r Amryw Achosion o waith Harri Shion* (Bryste: Samuel Farley).

Stephens, M. 1998. *The New Companion to the Literature of Wales* (Caerdydd: Gwasg Prifysgol Cymru)

Thomas, B. B., 1951. *Baledi Morgannwg* (Caerdydd: Gwasg Prifysgol Cymru).

Thomas, Gwyn, (gol.). 1970. *Yr Aelwyd Hon* (Llandybie: Llyfrau'r Dryw).

Thomas, Keith, 1974. *Stories in Stone – St John's Church, Newchurch, Ebbw Vale, 1843-1883* (Glyn Ebwy: gan yr awdur).

Trevelyan, Marie, 1909. *Folk-Lore and Folk-Stories of Wales* (Llundain: Elliot Stock).

van Laun, John, 2008. *Industrial Archaeology in Blaenau Gwent* (Cyngor Blaenau Gwent).

Williams, Edmund. 1742. *Rhai Hymnau Duwiol o waith Edmund Williams* (Bryste: F. Farley).

Williams, G. J. 1956. *Iolo Morganwg* (Caerdydd: Gwasg Prifysgol Cymru).

Williams, G. J. 1964. *The Welsh Tradition of Gwent* (Caerdydd: Plaid Cymru).

Williams, I. 1935. *Canu Llywarch Hen* (Caerdydd: Gwasg Prifysgol Cymru).

Williams, Sian Rhiannon, 1992. *Oes y Byd i'r Iaith Gymraeg – Y Gymraeg yn ardal ddiwydiannol Sir Fynwy yn y bedwaredd ganrif ar bymtheg* (Caerdydd: Gwasg Prifysgol Cymru).

Williams, William (Crwys), 1920. *Cerddi Crwys* (Llanelli: James Davies a'i Gwmni).

Williams, William (Myfyr Wyn), 1908. *Cân, Llên a Gwerin: sef Cynhyrchion y Diweddar Myfyr Wyn* (Aberdâr: Swyddfa'r 'Darian').

Williams, William (Myfyr Wyn), 1951. (Lloyd, D. Myrddin, gol.) *Atgofion am Sirhywi a'r Cylch* (Caerdydd: Gwasg Prifysgol Cymru).

Cyfres Llyfrau Llafar Gwlad – rhai teitlau

Cyfrolau o ddiddordeb yn yr un gyfres:

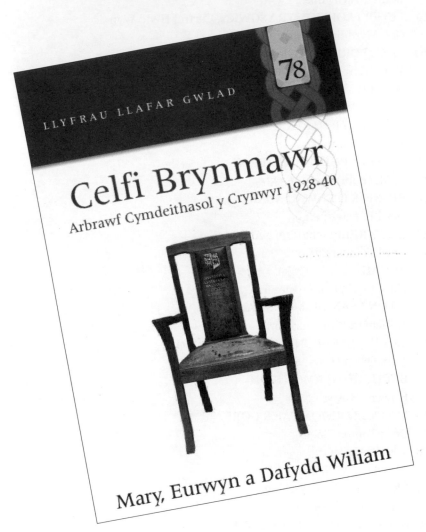

Arbrawf cymdeithasol y Crynwyr 1928-1940

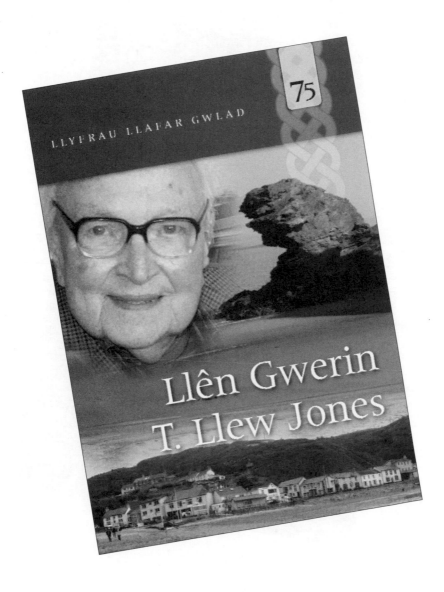

Detholiad o ysgrifau llên gwerin T. Llew Jones yn cynnwys ei gyfraniadau i'r cylchgrawn *Llafar Gwlad*

LLYFRAU LLAFAR GWLAD

70

Casglu Straeon
Gwerin yn Eryri

JOHN OWEN HUWS

Cyflwyniad i gasglu llên gwerin gan gyn-olygydd
Llafar Gwlad